Autisme,

comprendre et agir

Collection *Psychothérapies*

Bernadette ROGÉ

Autisme,

comprendre et agir

Préface de
J. - F. Chossy

DUNOD

Consultez nos catalogues sur le Web

SCIENCES & TECHNIQUES   INFORMATIQUE   GESTION MANAGEMENT   SCIENCES HUMAINES

DUNOD, ÉDITEUR DE SAVOIRS

www.dunod.com

© Dunod, Paris, 2003
ISBN 2 10 007019 3

PRÉFACE

Il s'appelle Ioan, il a 14 ans, il est autiste, c'est ce que me disent ses parents et ses éducateurs. Verbal jusqu'à l'excès, il parle beaucoup mais n'exprime que très rarement ses émotions et jamais ses sentiments.

Un jour cependant, pour marquer sa satisfaction après de bons moments passés ensemble sur un practice de golf et devant une glace géante, il me confie souriant avec les lèvres et avec les yeux : « tu sais, lorsque je suis contrarié, mes parents disent que la moutarde me monte au nez, et bien aujourd'hui, je peux te dire que c'est l'amour qui me monte au nez ».

Cette phrase, à cet instant, je l'ai reçue comme un cadeau, comme un bonheur mais je n'ai pu l'expliquer.

Bernadette Rogé, avec sa science et ses connaissances, avec son talent et sa sensibilité peut décrypter tous ces signes et *comprendre* les maux des mots.

Mais elle sait aussi *agir* et ne renonce jamais à descendre en spéléo au plus profond de la personne humaine pour en appréhender la psychologie. Elle sait aussi capter les réactions de l'entourage et s'associer aux parents pour comprendre le désarroi et le désespoir de l'autisme et en alléger les conséquences au quotidien.

Dans son ouvrage, Bernadette Rogé se tourne résolument vers l'actualité de l'autisme, elle décrit les difficultés du diagnostic précoce et de l'évaluation, elle sait aussi qu'aider la personne atteinte d'autisme c'est répondre à ses besoins selon trois axes principaux : médical, éducatif et social.

En nous permettant d'apprendre, donc de mieux comprendre, la lecture de ce livre nous plonge également dans l'approche pluri-disciplinaire et soulève les problèmes liés à la formation des professionnels et des intervenants, elle nous dit également que les services s'ils sont diversifiés et performants doivent s'inscrire dans la continuité.

On est autiste un jour, on est autiste toujours et c'est à la solidarité nationale à assurer une prise en charge digne, personnalisée, spécifique et efficace.

C'est un engagement moral, c'est un combat permanent contre l'indifférence et l'intolérance, c'est une lutte pour la vie.

Jean-François CHOSSY
Député de la Loire

TABLE DES MATIÈRES

PARTIE 2

COMPRENDRE

PARTIE 3

RECONNAÎTRE L'AUTISME ET L'ÉVALUER

PARTIE 4

TRAITER ET ÉDUQUER

PARTIE 5

ORGANISER LES PROGRAMMES

INTRODUCTION

Avant d'acquérir son statut de trouble du développement, l'autisme a longtemps été considéré comme une pathologie psychologique dans laquelle les difficultés relationnelles étaient jugées responsables de l'installation du désordre de la communication. Les premières élaborations théoriques sur l'autisme ont en effet mis l'accent sur un présupposé qui a ensuite eu la vie dure. Les parents, et essentiellement les mères, étaient jugés responsables des difficultés de leur enfant. L'absence d'engagement de l'enfant dans la vie relationnelle était considérée comme le résultat d'une attitude pathologique de l'adulte. Certains auteurs sont allés très loin dans les accusations portées à l'égard des parents. L'enfant ne pouvait accéder à l'existence psychique parce qu'inconsciemment les parents avaient souhaité sa destruction. L'un des farouches partisans de ces théories était Bruno Bettelheim dont la métaphore est restée tristement célèbre : il comparait l'enfant atteint d'autisme au prisonnier d'un camp de concentration dont les parents seraient les gardiens. Il faisait en cela référence aux expériences extrêmes qu'ont vécues les prisonniers des camps de concentration durant la période nazie et s'appuyait sur l'idée que face à ses bourreaux, face aux violences physiques et psychologiques, l'individu ne pouvait que se replier pour rester dans l'isolement. Ayant vécu lui-même ces atrocités, Bettelheim a transposé cette terrible image pour étayer son point de vue sur le processus psychologique qu'il pensait être à l'origine de l'autisme. Dans ce modèle, les parents étant inconsciemment les tortionnaires de leur enfant, il était nécessaire de couper le lien pathogène afin de donner les chances à l'enfant de se reconstruire.

Le terme de « parentectomie » a même été utilisé pour dire, par ana-
logie à ce qui se pratique en chirurgie, que l'on devait couper la relation entre l'enfant et sa famille. De cette théorie ont découlé des
pratiques thérapeutiques dans lesquelles l'enfant était confié à une
institution pendant que les parents étaient invités à se pencher sur
l'abîme de leur vie inconsciente pour y sonder toutes les noirceurs
dont ils étaient capables à l'égard de leur descendance.

Au nom de ce type de théories, déclinées sous de multiples formes
et dont le lecteur aura bien compris qu'elles ne seront pas développées
plus longuement dans cet ouvrage, des générations de parents ont
été malmenées.

Devons-nous pour autant nous situer dans la polémique et continuer à porter des jugements sévères sur de telles pratiques. J'aurai à
ce niveau deux réponses contradictoires : pour ce qui concerne l'histoire, j'aurais tendance à dire que nul n'est besoin de revenir encore et
encore sur cette page ancienne de l'autisme. Elle doit enfin être tour-
née, avec toute l'indulgence dont les parents pourront être capables
compte tenu de ce qu'ils ont subi. Avec du recul, on peut comprendre
en effet que ces théories se sont développées à une époque où les
connaissances scientifiques n'étaient pas celles d'aujourd'hui. La
psychologie était en plein essor et, faute d'autre d'explication, la fas-
cination qu'elle exerçait alors permettait de donner du sens à des
comportements très énigmatiques. Face à des enfants dont on pensait
alors qu'ils n'avaient aucune atteinte biologique, il était relativement
facile de se tourner vers des modèles explicatifs mettant en jeu des
phénomènes relationnels passionnants et intellectuellement très
séduisants. J'ajouterai pour affirmer encore plus ce point de vue, que,
pour les praticiens de l'époque, ces modèles étaient porteurs d'espoir.
Car si le désordre s'était noué au sein de relations perturbées, alors il
pouvait être combattu sur le terrain de la psychothérapie. Nous pou-
vons donc accorder ce crédit aux personnes qui ont voulu s'occuper
des enfants autistes dans cette période : elles étaient inspirées par un
professionnalisme incontestable, elles étaient animées par le désir
d'aider les enfants, et même si elles n'ont pas toujours réalisé le mal
qu'elles pouvaient faire aux parents, elles n'ont pas eu d'intentions
hostiles à leur égard.

Mais je peux aussi, comme je l'ai annoncé précédemment,
adopter une attitude totalement inverse et me montrer beaucoup
plus sévère à l'égard des personnes qui encore aujourd'hui
s'accrochent avec une conviction suspecte à des modèles que tout

porte à remettre en question. Si l'indulgence est en effet de mise pour les pratiques du passé, il me semble très coupable de s'adonner de nos jours à un type d'errances intellectuelles qui pour être parfois brillantes n'en sont pas moins erronées sur le plan scientifique et destructrices sur le plan humain. L'origine biologique de l'autisme peut maintenant être affirmée, même si l'on n'a pas encore compris les mécanismes exacts par lesquels il s'installe. Ceci étant posé, dire que l'autisme a des origines biologiques ne signifie pas que l'on renonce à comprendre la psychologie de la personne qui en est atteinte et les réactions de son entourage. Mais une fois évacuée la choquante théorie de la responsabilité parentale, il devient possible de s'associer aux parents pour comprendre l'autisme, en alléger les conséquences au quotidien, et permettre aux familles d'accéder à une meilleure qualité de vie.

C'est donc vers l'actualité de l'autisme et vers les ouvertures constructives qu'elle nous apporte que je me tournerai dans cet ouvrage, non sans avoir néanmoins fait un petit détour très rapide et très sélectif vers l'histoire pour en marquer certains jalons essentiels.

PARTIE 1

DÉFINIR

Chapitre 1

LES PREMIÈRES DESCRIPTIONS DE L'AUTISME

L'AUTISME DE KANNER

Léo Kanner a décrit l'autisme pour la première fois en 1943 (Kanner, 1943). À partir de ses observations, il a présenté les signes caractéristiques des enfants porteurs de cette pathologie. La plupart de ces signes restent encore valables et constituent le tableau d'autisme dans sa forme la plus classique.

La description initiale de Kanner reposait sur une population de onze enfants et les caractéristiques relevées étaient les suivantes : l'enfant manifeste une incapacité à développer des relations. Il a des difficultés à interagir avec les personnes et manifeste un intérêt plus grand pour les objets que pour les personnes. On enregistre un retard dans l'acquisition du langage. Certains enfants restent sans langage, d'autres l'acquièrent, mais toujours avec du retard. Lorsqu'il apparaît, le langage est utilisé de manière non sociale. Les enfants autistes ont des difficultés à parler de manière adaptée dans une conversation, même lorsqu'ils développent des structures de langage correctes. Le langage comporte des éléments d'écholalie, l'enfant répétant des mots et des phrases. L'inversion pronominale est fréquente, l'enfant utilisant le « tu » à la place du « je » par exemple. Les jeux sont répétitifs et stéréotypés : l'activité ludique est pauvre, dénuée de créativité et d'imagination. Elle se limite à des manipulations d'objets sur un mode répétitif. Il existe un désir d'immuabilité : l'enfant autiste manifeste une grande résistance au changement dans sa vie quotidienne et dans son environnement. La mémoire par cœur est bonne. L'apparence physique est normale et Kanner en avait fait un argument pour soutenir l'idée que ces enfants avaient une intelligence normale, ce qui a par la suite été remis en question.

Plus tard, Kanner a réduit ces signes à deux éléments principaux : la recherche d'immuabilité au travers de routines répétitives et l'isolement extrême, avec début des troubles dans les deux premières années. La réduction à ces deux signes principaux a posé problème car ces critères ne retiennent qu'une forme très particulière d'autisme et ne permettent pas de faire le diagnostic pour toutes les autres formes appartenant pourtant au spectre autistique.

Bien que la première description des comportements autistiques reste valable pour la majorité des signes, certaines affirmations de Kanner peuvent être critiquées, soit parce qu'il a généralisé ses données à toute la population alors que ses observations ne concernaient que onze cas, soit parce qu'il a échafaudé des hypothèses que les connaissances actuelles permettent de remettre en question :

– Kanner avait relevé l'absence de stigmates physiques dans son échantillon et pensait donc que l'autisme constituait une pathologie sans troubles organiques associés. On connaît maintenant un grand nombre de maladies associées à l'autisme et dans l'avenir, des pathologies ayant comme conséquence un trouble du développement cérébral et non encore identifiées vont probablement être repérées ;

– l'absence de stigmates physiques dans son échantillon a conduit Kanner à considérer que ces enfants avaient un visage reflétant l'intelligence. Leur côté souvent sérieux a été considéré comme l'indice d'une puissance intellectuelle qui ne s'est pas confirmée par la suite. Ce mythe de l'enfant génial qui n'exprime pas son intelligence a eu des conséquences négatives pour bon nombre de familles qui ont longtemps cherché la clé susceptible de débloquer l'enfant. La plupart des recherches ont montré par la suite que 75 % des personnes avec autisme avaient un déficit intellectuel et que les autres avaient des déficits sociaux tels, que leurs capacités d'adaptation se trouvaient aussi limitées ;

– même si Kanner avait souligné que l'autisme était présent dès le début de la vie et qu'il s'agissait d'un déficit inné à entrer en communication, il avait observé que dans son échantillon, les parents étaient issus de milieux aisés, qu'ils étaient plutôt des intellectuels et qu'ils se comportaient de manière froide à l'égard de leurs enfants. Kanner avait simplement oublié que son groupe, composé de onze familles était forcément biaisé dans son recrutement. Seule une famille relativement aisée et de bon niveau culturel pouvait en effet le consulter à l'époque. Les observations de Kanner sur les familles ont été à l'origine des thèses mettant en cause les parents, même s'il ne les a lui-même jamais vraiment adoptées et s'il s'en est même démarqué clairement par la suite.

Le terme d'autisme de Kanner est encore parfois utilisé pour la forme dite « pure », c'est-à-dire sans maladie neurologique associée. Mais ce concept d'autisme pur appelle la plus grande circonspection car pour certaines personnes qui l'emploient sans discernement, il renvoie parfois à la notion d'autisme sans base biologique. L'évolution des connaissances nous amène à penser qu'il n'existe pas d'autisme sans atteinte au niveau cérébral. Simplement, il y a des formes dans lesquelles une maladie neurologique est associée de manière évidente à l'autisme, comme c'est le cas dans la sclérose tubéreuse de Bourneville, alors que dans d'autres formes, les anomalies sont liées à des dysfonctionnements que les techniques actuelles ne sont pas véritablement en mesure d'objectiver. De ce point de vue cependant, les progrès de l'imagerie cérébrale ont permis de mettre en évidence de tels dysfonctionnements.

LA PUBLICATION D'ASPERGER SORTIE DE L'OUBLI PAR LORNA WING

En 1944, Hans Asperger, psychiatre autrichien publie *Les Psychopathes autistiques pendant l'enfance*. Ce texte sera méconnu pendant de nombreuses années car il est rédigé en Allemand, langue peu accessible pour la communauté scientifique internationale et sa parution intervient pendant la seconde guerre mondiale. Le travail d'Asperger restera donc peu diffusé jusqu'à ce que Lorna Wing avec sa publication de 1981 le fasse sortir de l'oubli. L'intérêt pour le syndrome d'Asperger se confirmera avec la traduction du texte original en langue anglaise par Uta Frith en 1991.

Dans ce texte de 1944, Asperger décrit la symptomatologie de quatre enfants dont il relate les cas de manière détaillée. La description d'Asperger présente de nombreuses similitudes avec celle de Kanner parue en 1943. Ces deux médecins ne se connaissaient pourtant pas et ont travaillé indépendamment l'un de l'autre.

Asperger décrit chez ses jeunes patients une pauvreté des relations sociales, des anomalies de la communication et le développement d'intérêts particuliers. Asperger note que ces enfants, bien que présentant des déficits sociaux, étaient capables d'atteindre un certain niveau de réussite et d'être intégrés socialement. Mais les enfants qu'il décrit avaient de bonnes possibilités intellectuelles et avaient une expression moins sévère de l'autisme que ceux décrits par Kanner.

Lorna Wing avait été frappée par certains enfants qui présentaient les caractéristiques autistiques en étant très jeunes mais qui développaient ensuite un langage courant et un désir d'aller vers les autres. Ils gardaient cependant des difficultés pour ce qui concerne les aspects les plus subtils de l'interaction sociale et de la conversation. Elle a fait le rapprochement avec la description fournie par Asperger. Elle décrit les principaux traits du syndrome d'Asperger en ces termes : il s'agit d'enfants qui manquent d'empathie, font preuve de naïveté, d'inadaptation sociale dans la mesure où les interactions dans lesquelles ils s'engagent sont univoques. Leurs capacités à établir des relations d'amitié sont peu développées et même parfois inexistantes. Ils présentent un langage pédant, répétitif. Leurs communications non verbales sont pauvres. Ils manifestent un intérêt marqué pour certains sujets sur lesquels ils reviennent avec insistance. Ils présentent en outre une maladresse motrice, un défaut de coordination et des postures bizarres.

Dans les années 1990, et surtout sous l'influence des travaux de Lorna Wing, il est admis que le syndrome d'Asperger est une variante de l'autisme et qu'il appartient au spectre des désordres autistiques. Les personnes regroupées dans cette catégorie seraient en fait des personnes autistes de bon niveau intellectuel. Cette position reste cependant discutée et bien que la validité nosologique du syndrome d'Asperger soit jugée incertaine dans la CIM-10 (OMS, 1993), cette classification fait du syndrome d'Asperger l'un des diagnostics différentiels de l'autisme. De la même manière, le syndrome est considéré comme un sous-groupe spécifique ayant ses propres critères de diagnostic dans le DSM-IV (APA, 1996) et le DSM-IV-TR (APA, 2000).

Chapitre 2

LE DIAGNOSTIC DE L'AUTISME ET DES AUTRES TROUBLES DU DÉVELOPPEMENT

CLASSIFICATIONS

Le consensus est maintenant établi au niveau international dans la classification et dans la description des signes cliniques de l'autisme et des troubles apparentés. Dans ce contexte, la Classification Française reste une curiosité aux yeux des scientifiques étrangers. Elle ne facilite pas la communication au niveau international et entretient la confusion conceptuelle en retenant encore le terme de psychose là où la communauté scientifique internationale s'est accordée sur la notion de troubles du développement.

La recherche de correspondances entre cette classification française et les classifications qui réunissent les chercheurs de niveau international représente un effort probablement utile mais l'harmonisation complète des critères de diagnostic est indispensable pour augmenter la validité et la fidélité des diagnostics et mieux délimiter les syndromes qui appartiennent au spectre des désordres autistiques. Ces progrès sont nécessaires autant dans le domaine de la clinique où cela a des répercussions sur les services offerts aux personnes, que dans le domaine de la recherche où la clarté et la précision de la description des groupes de patients sont indispensables. Le consensus au niveau des systèmes de diagnostic facilite aussi les échanges et la communication entre les cliniciens, les chercheurs, les parents et les personnes qui sont en charge des politiques en faveur des personnes handicapées.

Évolution du concept d'autisme dans les classifications : l'apparition de la notion de troubles du développement

Les deux classifications qui servent actuellement de référence sont celle de l'Association américaine de psychiatrie (APA) et celle de l'Organisation mondiale de la santé (OMS). Ces deux classifications ont évolué dans le sens d'une convergence de plus en plus forte. Les dernières versions de ces systèmes de diagnostic, le DSM-IV (APA, 1994 et 2000) et la CIM-10 (OMS, 1993) ont donc beaucoup en commun, même si quelques différences persistent. Dans la première version du DSM parue en 1952, comme dans le DSM-II (1968), l'autisme était inclus dans la catégorie des réactions schizophréniques de type infantile. C'est en 1980 avec le DSM-III qu'apparaît la notion de trouble envahissant du développement.

Les troubles du développement regroupent un ensemble de désordres d'apparition précoce qui viennent perturber l'évolution du jeune enfant et qui induisent des déficits et des anomalies qualitatives dans le fonctionnement intellectuel, sensoriel, moteur, ou du langage. De telles séquelles peuvent être isolées ou combinées, et sont parfois associées à des troubles de la communication et de l'adaptation sociale comme c'est le cas dans les désordres appartenant au spectre autistique.

Le recours à la notion de trouble du développement et l'abandon du terme de psychose infantile se justifient pleinement à plusieurs niveaux. Les signes cliniques correspondent à une perturbation des fonctions en cours de développement. Les données concernant le développement cérébral ont montré que dans l'autisme il existait des anomalies de l'organisation cérébrale. Les caractéristiques observées permettraient de situer la perturbation du développement cellulaire dans les trente premières semaines de gestation. Les signes de l'autisme peuvent être distingués de la symptomatologie psychotique telle qu'elle apparaît dans la psychose de l'enfant qui, dans les classifications validées au niveau international recouvre la notion de schizophrénie de l'enfant. Notamment, la difficulté d'accès au symbolique rend les productions imaginatives relativement pauvres dans l'autisme alors que dans la schizophrénie de l'enfant, l'imagination est fertile, ce qui peut se traduire au niveau de productions délirantes. Comme dans la schizophrénie de l'adulte, des hallucinations peuvent être décelées dans la psychose de l'enfant mais pas dans l'autisme où les réactions d'angoisse et certains troubles du comportement sont plutôt liés à des distorsions sensorielles en rapport avec les troubles de l'intégration des informations. Enfin, les données épidémiologiques montrent qu'il existe des groupes pathologiques distincts dont les troubles apparaissent à des moments différents. L'autisme apparaît avant 36 mois. La schizophrénie infantile est rare et peut débuter vers 5 à 6 ans. Enfin, la schizophrénie dans ses formes les plus communes peut commencer à se manifester à l'adolescence et au jeune âge adulte. Les psychoses de l'enfance sont donc plus tardives que l'autisme, et leurs manifestations se rapprochent plus de la schizophrénie telle qu'elle se manifeste à l'adolescence et à l'âge adulte.

Le dénominateur commun à tous les troubles du développement est l'intervention d'un facteur perturbant le développement du système nerveux central à un stade précoce, avec des effets immédiats et des conséquences à long terme dans la mesure où les expériences sur lesquelles s'appuie le développement normal se trouvent altérées. Bien que l'étiologie précise ne soit pas toujours connue, la notion de dysfonctionnement cérébral est nettement associée au concept de trouble du développement, et situe le problème sur le terrain de la neuropsychologie, sans d'ailleurs que cela n'exclue la dimension affective et relationnelle inhérente au développement d'un enfant. Cette dimension n'est simplement pas première dans l'apparition du trouble. C'est parce que l'enfant manque de l'équipement de base dans la communication que les aspects de son développement qui s'appuient sur l'interaction sociale vont être entravés.

L'autisme est défini comme trouble envahissant du développement par opposition aux autres troubles du développement qui touchent surtout un aspect particulier du développement. Les déficiences intellectuelles sont des troubles du développement dans lesquels c'est la sphère du développement cognitif qui est le plus atteinte. Dans les troubles spécifiques du développement c'est selon le cas le langage (dysphasie de développement, retard de langage ou de parole), la motricité (dyspraxie de développement) ou les apprentissages scolaires (dyslexie, dysorthographie, dyscalculie) qui peuvent être affectés.

Une catégorie au statut nosologique incertain : les désordres multiples du développement

Parmi les troubles du développement classiquement décrits, une catégorie qui a été proposée par Cohen et ses collaborateurs (Cohen et coll., 1986 ; Klin et coll., 1995) garde un statut nosologique incertain.

C'est celle des désordres multiples du développement. Cette catégorie regroupe des perturbations à différents niveaux du fonctionnement psychologique sans que les critères majeurs de la pathologie autistique ou des autres catégories apparentées puissent être réunis. Notamment, le début est plus tardif, les anomalies du contact social et de la communication peuvent être moins marquées alors que d'autres signes comme les troubles du cours de la pensée ou les troubles de l'humeur sont présents. Cette discussion nosographique soulève en fait le problème de savoir si ces troubles multiples du développement représentent une forme atténuée et atypique des troubles autistiques, ou s'ils constituent une catégorie à part entière dont la particularité résiderait dans l'association de dysfonctionnements interagissant pour aboutir à une pathologie spécifique.

La classification de l'Organisation mondiale de la santé (CIM-10)

Dans cette classification, l'autisme appartient aux troubles envahissants du développement (OMS, 1993). Les différentes catégories correspondant à des caractéristiques spécifiques sont les suivantes :

F 84. Troubles envahissants du développement

F 84.0 Autisme infantile

Trouble envahissant du développement, dans lequel un développement anormal ou déficient est observé avant l'âge de trois ans. Les perturbations du fonctionnement se manifestent dans les domaines des interactions sociales, de la communication et du comportement qui est répétitif et lié à des intérêts restreints. L'expression des déficits se modifie avec l'âge, mais ces déficits persistent à l'âge adulte.

L'autisme peut s'accompagner de niveaux intellectuels très variables, mais il existe un retard intellectuel significatif dans environ 75 % des cas.

F 84.1 Autisme atypique

Trouble envahissant du développement qui se distingue de l'autisme infantile par l'âge d'apparition des troubles ou parce qu'il ne correspond pas à l'ensemble des trois groupes de critères diagnostiques requis pour établir le diagnostic d'autisme infantile. Le recours à cette catégorie diagnostique se justifie par le fait que chez certains enfants les troubles apparaissent au-delà de 3 ans, mais cela reste rare, ou que les anomalies sont trop discrètes, voire absentes dans un des trois secteurs normalement atteints dans l'autisme (interactions sociales, communication, comportement).

F 84.2 Syndrome de Rett

Trouble décrit principalement chez les filles. Il se caractérise par une première période de développement apparemment normale ou presque normale, suivie d'une perte partielle ou totale du langage et de la motricité fonctionnelle des mains, associée à une cassure du développement de la boîte crânienne dont le résultat est une stagnation du périmètre crânien.

Le début de ce type de trouble se situe entre 7 et 24 mois. Les signes les plus caractéristiques sont la perte de la motricité volontaire des mains, l'apparition de mouvements stéréotypés de torsion des mains, et l'hyperventilation.

F 84.3 Autre trouble désintégratif de l'enfance

Trouble envahissant du développement qui ne correspond pas au syndrome de Rett et dans lequel une période de développement normal est observée avant l'apparition du trouble. Cette période est suivie d'une perte très nette, et en quelques mois, des performances déjà installées dans différents domaines du développement. Simultanément apparaissent des anomalies de la communication, des relations sociales, et du comportement. La détérioration peut être précédée de troubles à type d'opposition, de manifestations anxieuses ou d'hyperactivité. Puis s'installe un état régressif avec perte du langage.

F 84.4 Hyperactivité associée à un retard mental et à des mouvements stéréotypes

Troubles majeurs de l'attention avec hyperactivité importante, retard intellectuel sévère (QI inférieur à 50) et mouvements stéréotypés.

F84.5 Syndrome d'Asperger

Trouble du développement dans lequel se retrouvent des anomalies qualitatives des interactions sociales réciproques qui ressemblent à celles qui sont observées dans l'autisme. Les intérêts restreints et les activités répétitives, stéréotypées sont également présents. Par contre, le développement cognitif et le développement du langage sont de bonne qualité. Une maladresse motrice est souvent associée.

F84.8 Autres troubles envahissants du développement

F84.9 Trouble envahissant du développement, sans précision

Cette catégorie est réservée aux troubles qui correspondent aux caractéristiques générales des troubles du développement mais qu'il est impossible de classer dans l'une des catégories décrites ci-dessus du fait d'un manque d'information ou de contradictions dans les informations disponibles.

La classification de l'Association américaine de psychiatrie (DSM-IV)

Dans cette classification, les désordres autistiques font également partie des troubles envahissants du développement (APA, 1993 ; 2000).

299.00 Désordres autistiques

Désordre du développement caractérisé par :

A. Un total de six items ou plus appartenant aux rubriques 1, 2 et 3 avec au moins deux des signes de la rubrique 1 et un item dans chacune des rubriques 2 et 3

1. Anomalies qualitatives de l'interaction sociale qui se manifestent par :

- des anomalies nettes dans l'utilisation de comportements non verbaux tels que le contact visuel, l'expression faciale, les postures corporelles, et les gestes qui servent à réguler l'interaction sociale ;
- un échec pour développer des relations avec les pairs correspondant au niveau de développement ;
- un manque de recherche spontanée du partage des activités ludiques, des intérêts ou de ce que l'on a fait avec les autres (l'enfant ne montre pas, n'apporte pas pour montrer, ne pointe pas un objet qui l'intéresse pour montrer) ;
- un manque de réciprocité sociale ou émotionnelle.

2. Anomalies qualitatives dans la communication qui se manifestent par :

- un retard, ou une absence totale de développement du langage (non accompagné d'un effort de compensation par d'autres moyens de communication tels que les gestes ou le mime) ;
- chez les sujets ayant un langage correct, de nettes anomalies dans la capacité à amorcer ou à poursuivre une conversation avec les autres ;
- une utilisation stéréotypée et répétitive du langage ou un langage idiosyncrasique ;
- un manque de différents jeux de « faire semblant » spontanés ou de jeu social imitatif correspondant au niveau de développement.

3. Intérêts restreints, et des comportements et activités répétitifs et stéréotypés qui se manifestent par :

- une préoccupation persistante pour un ou plusieurs centres d'intérêt stéréotypés et restreints, anormale par l'intensité ou le thème ;
- une adhésion apparemment inflexible à des routines ou rituels non fonctionnels ;
- des mouvements stéréotypés et répétitifs (par exemple, battement des mains ou des doigts, torsion, ou mouvements complexes de l'ensemble du corps) ;
- une préoccupation persistante pour des parties d'objets.

B. Le développement est retardé ou perturbé avant l'âge de trois ans dans l'un au moins des domaines suivants : (1) interaction sociale, (2) langage utilisé dans la communication sociale, ou (3) jeu symbolique ou imaginatif.

C. Les perturbations ne sont pas liées au syndrome de Rett, ou à un désordre désintégratif de l'enfance.

299.80 Syndrome de Rett

A. Présence de tous les signes suivants :

(1) Développement prénatal et périnatal apparemment normal.

(2) Développement psychomoteur apparemment normal dans les cinq premiers mois.

(3) Périmètre crânien normal à la naissance.

B. Apparition de tous ces signes après la période de développement normal :

(1) ralentissement de la croissance de la tête entre l'âge de 5 et 48 mois ;

(2) perte des habiletés manuelles fonctionnelles antérieurement acquises entre 5 et 30 mois. Cette perte est accompagnée de l'apparition de mouvements stéréotypés des mains (torsion des mains, mouvements de lavage des mains) ;

(3) perte précoce de l'engagement social (bien que l'interaction sociale se développe souvent par la suite) ;

(4) apparition d'une démarche peu coordonnée et de mouvements du tronc ;

(5) développement sévèrement anormal du langage réceptif et expressif et retard psychomoteur sévère.

299.10 Désordre désintégratif de l'enfance

A. Développement apparemment normal durant les deux premières années comme en témoigne la présence d'une communication verbale et non verbale, de relations sociales, de jeux et de comportements adaptatifs appropriés à l'âge.

B. Perte significative des habiletés antérieurement acquises (avant l'âge de 10 ans) dans au moins deux des domaines suivants :

(1) langage expressif et réceptif ;

(2) habiletés sociales et comportements adaptatifs ;

(3) contrôle sphinctérien (vésical et intestinal) ;

(4) jeu ;

(5) habiletés motrices.

C. Anomalies de fonctionnement dans au moins deux des domaines suivants :

(1) Anomalies qualitatives de l'interaction sociale (anomalies des comportements non verbaux, incapacité à développer des relations avec les pairs, manque de réciprocité sociale ou émotionnelle).

(2) Anomalies qualitatives de la communication (retard ou absence de langage, incapacité à initier ou à poursuivre une conversation, utilisation stéréotypée et répétitive du langage, absence de jeux de faire semblant variés).

(3) Comportements, intérêts et activités restreints, répétitifs et stéréotypés, incluant les stéréotypies motrices et les maniérismes.

D. Troubles qui ne correspondent pas à un autre trouble envahissant du développement ou à la schizophrénie.

299.80 *Syndrome d'Asperger*

A. Anomalies qualitatives de l'interaction sociale comme cela se manifeste par au moins deux des signes suivants :

(1) Nettes anomalies dans l'utilisation des différents comportements non verbaux tels que le contact visuel, l'expression faciale, les postures du corps et les gestes qui servent à réguler l'interaction sociale.

(2) Incapacité à développer des relations appropriées à l'âge avec les pairs.

(3) Manque de recherche spontanée du partage des activités ludiques, des intérêts ou de ce que l'on a fait avec les autres (l'enfant ne montre pas, n'apporte pas pour montrer, ne pointe pas un objet qui l'intéresse pour montrer).

(4) Manque de réciprocité sociale ou émotionnelle.

B. Comportements, intérêts et activités restreints comme cela se manifeste par au moins un des signes suivants :

(1) préoccupation persistante pour un ou plusieurs centres d'intérêts restreints et stéréotypés anormale par l'intensité ou le thème ;

(2) adhésion apparemment inflexible à des routines ou rituels non fonctionnels ;

(3) maniérismes moteurs stéréotypés et répétitifs (agitation des mains et des doigts ou mouvements complexes du corps) ;

(4) préoccupations persistantes pour des parties d'objets.

C. Les troubles entraînent des anomalies significatives dans le fonctionnement social, professionnel ou dans d'autres domaines importants.

D. Il n'y a pas de retard significatif dans le développement du langage (mots isolés utilisés à 2 ans, phrases fonctionnelles utilisées à 3 ans).

E. Il n'existe pas de retard significatif dans le développement cognitif ou dans le développement des compétences concernant l'autonomie personnelle, les comportements d'adaptation (autres que ce qui appartient à l'interaction sociale) et de la curiosité à l'égard de l'environnement dans l'enfance.

F. Les signes ne correspondent pas à ceux d'un autre trouble envahissant du développement ou à ceux de la schizophrénie.

299.80 Troubles envahissants du développement non spécifiés (incluant l'autisme atypique)

Anomalies sévères et envahissantes dans le développement de l'interaction sociale réciproque, les intérêts et les activités mais sans que les critères soient réunis pour porter un diagnostic de trouble envahissant spécifique, de schizophrénie, de trouble de la personnalité schizophréniforme, ou de trouble évitant de la personnalité (par exemple, sujet qui présente les troubles de l'autisme mais avec une apparition des signes au-delà de trois ans, ou sujet dont la symptomatologie est atypique, ou dont la symptomatologie est juste sous le seuil de significativité.)

DE LA TRIADE AUTISTIQUE AU SPECTRE DES DÉSORDRES AUTISTIQUES

Wing et Gould (1979) ont mis en évidence les trois secteurs du développement qui sont touchés dans l'autisme et dont les anomalies sont associées à l'autisme. Ils ont appelé ce groupe de perturbations « triade autistique ». Cette triade autistique constitue un bon critère pour le diagnostic de l'autisme car elle regroupe les signes qui constituent ce que l'on peut appeler le noyau dur de l'autisme :

– *aspect social :* le développement social est déviant et retardé, notamment au niveau des relations interpersonnelles. Il existe des variations qui vont de l'isolement jusqu'à une recherche de relations mais sur un mode bizarre ;

– *langage et communication :* le langage et la communication sont déviants que ce soit au niveau verbal ou non verbal. Les aspects déviants se retrouvent sur le plan sémantique et pragmatique ;

– *mode de pensée et comportement :* une rigidité de pensée et de comportement est observée, l'imagination sociale pauvre. Les comportements sont ritualisés et il existe des routines. Les jeux symboliques sont retardés ou absents et le niveau de ces comportements ne correspond pas à l'âge mental de l'enfant.

Wing a aussi souligné que bien que l'un des critères de diagnostic de l'autisme soit l'apparition avant l'âge de 36 mois, l'apparition peut être légèrement plus tardive dans quelques cas. La vision de l'autisme développée par Lorna Wing est donc plus extensive que celle qui est fournie par les classifications. Certaines des caractéristiques retenues par Lorna Wing ne correspondent pas intégralement à ce qui était décrit par Kanner. Les enfants diagnostiqués grâce au repérage de la triade autistique ne correspondent donc pas forcément à ce que l'on avait appelé « autisme de Kanner », mais ils se situent dans ce que Wing a d'abord appelé « le continuum de l'autisme » puis le « spectre autistique » (Wing, 1996).

Pour défendre la notion de continuum autistique et la définition plus large de l'autisme, Wing s'appuie sur le fait que la sensibilité et l'efficacité sociales suivent une distribution normale dans la population, la majorité ayant un niveau moyen de sensibilité sociale ou d'empathie et une minorité ayant un niveau très fort ou très faible d'empathie. En allant vers l'extrémité inférieure de la courbe (sensibilité sociale et empathie faibles) on trouverait les personnes ayant des difficultés d'adaptation sociale sans qu'il soit toujours facile de séparer les groupes. À l'extrémité de la courbe se trouve le groupe des autistes qui fusionne partiellement avec celui des Asperger, avec d'autres types de pathologies psychiatriques et même avec des personnes considérées comme normales. Le recoupement de ces différents groupes et leur variation selon d'autres dimensions que l'empathie et la sensibilité sociale amènent à considérer que la notion de « spectre autistique » ou de « spectre des désordes autistiques » est plus valide que celle de « continuum autistique ».

Chapitre 3

LES SIGNES CLINIQUES DE L'AUTISME

L'autisme touche donc précocement toutes les fonctions d'adaptation et il se caractérise par un ensemble de signes cliniques présents dans les trois domaines essentiels que sont l'interaction sociale, la communication, et les intérêts et comportements.

ANOMALIES QUALITATIVES DES INTERACTIONS SOCIALES

Les anomalies touchent particulièrement les comportements non verbaux utilisés classiquement pour entrer en contact avec les autres. Les signaux non verbaux qui permettent de régler l'interaction sont absents ou ne sont pas utilisés correctement. L'utilisation du regard est ainsi souvent déviante : le contact oculaire est absent, le regard transfixiant (le regard semble traverser l'interlocuteur), ou le regard est périphérique (la personne regarde de côté), et le regard n'est pas coordonné avec les autres signaux sociaux. Les mimiques sociales sont appauvries ou exagérées et peuvent sembler peu adaptées au contexte : par exemple, l'enfant rit sans que l'on comprenne pourquoi ou alors il sourit en regardant un rayon lumineux et ne sourit pas quand on lui parle ou lorsque l'on cherche à attirer son attention. Les stimulations physiques permettent souvent d'activer l'engagement social et cela peut être trompeur. L'adulte qui stimule l'enfant en le balançant ou en le faisant tournoyer obtient momentanément le contact visuel et des mimiques de plaisir qui répondent en fait aux stimulations physiques plus qu'à la présence sociale de l'adulte. L'expression gestuelle est appauvrie. Les gestes (ex : pointé du doigt), lorsqu'ils existent, sont rarement utilisés dans un but social de partage d'intérêt ou de demande d'aide. L'enfant pointe en direction de l'objet convoité mais ne cherche pas le regard de l'adulte pour faire participer celui-ci à la situation.

La faible compréhension des expressions des autres entraîne une difficulté à s'harmoniser avec eux et à partager sur le plan émotionnel. L'enfant est donc isolé, ne recherchant pas le contact des autres et particulièrement des enfants de son âge. Il ne parvient pas à développer de jeux sociaux avec les autres enfants et ne s'adapte pas aux situations de groupe. Lorsque l'intérêt social se développe, les modes d'entrée en communication sont maladroits et l'enfant ne parvient pas à maintenir l'échange durablement. L'interaction sociale avec les adultes peut être meilleure dans la mesure où ceux-ci s'ajustent à l'enfant et facilitent donc la situation pour lui.

ANOMALIES DE LA COMMUNICATION

Il existe un retard d'acquisition du langage. Certaines personnes autistes n'atteignent jamais le niveau de l'expression verbale (50 %). Dans tous les cas, l'enfant n'utilise pas spontanément d'autres modes de communication (gestes, mimiques) qui lui permettraient de compenser le problème de langage. Le langage n'est pas bien compris, surtout lorsqu'il est plus abstrait.

Lorsqu'un langage apparaît, il se développe en général tardivement, et comporte des anomalies :

– *écholalie immédiate :* l'enfant répète en écho ce que l'adulte dit. Il peut par exemple répéter une question qui lui est posée au lieu d'y répondre. L'adulte demande : « Tu veux boire ? » et l'enfant dit « tu veux boire ? » au lieu de fournir une réponse. Cette absence d'inversion des pronoms et la confusion entre le « je » et le « tu » montre que la fonction d'outil de communication qu'a le langage n'est pas comprise ;

– *écholalie différée :* des mots ou phrases qui ont capté l'attention de l'enfant dans une situation donnée vont être répétés dans un autre contexte où ils n'ont plus de sens. Par exemple, l'enfant répète inlassablement une phrase entendue aux informations télévisées : « demain il fera beau » ;

– *utilisation idiosyncrasique du langage :* l'enfant utilise des mots ou expressions qui lui sont propres.

L'expression verbale peut comporter des anomalies du rythme, de l'intonation et du volume.

Même lorsque le langage est élaboré, il est peu utilisé socialement : la personne autiste initie peu de conversations à caractère purement social (pour le plaisir de bavarder) et a du mal à soutenir une conversation qui ne concerne pas directement ses propres intérêts.

Les conduites d'imitation à caractère social se mettent difficilement en place, les jeux symboliques de « faire semblant » sont absents ou apparaissent tardivement. Lorsqu'ils sont appris à partir de répétitions avec un adulte, ils gardent un aspect plutôt répétitif et peu créatif. Par exemple l'enfant a appris à donner à manger à la poupée et il ne pourra pas varier de comportement. Il continue à donner à manger quand on veut lui faire mimer le comportement de donner à boire.

INTÉRÊTS RESTREINTS, COMPORTEMENTS RÉPÉTITIFS

L'enfant oriente son intérêt vers un objet ou un type d'objets à l'exclusion des autres. Le plus souvent, les objets qui retiennent ainsi son attention sont utilisés dans des activités répétitives : objets ronds que l'enfant fait tourner, brindille qu'il agite devant ses yeux, agitation de ficelles, transvasement d'eau ou de sable. C'est parfois seulement une partie de l'objet qui capte l'attention. Par exemple, seule la roue de la petite voiture intéresse l'enfant qui la fait tourner au lieu de jouer à faire rouler la voiture, ou alors l'enfant s'absorbe dans l'ouverture et la fermeture répétitive de la portière.

Les activités répétitives concernent aussi le corps. On peut observer des balancements, des postures anormales ou des mouvements des mains ou des bras. Postures et mouvements complexes du corps peuvent se combiner surtout dans les formes sévères d'autisme. L'enfant peut par exemple poser la tête au sol et se balancer dans cette position, s'enrouler dans les pieds d'un meuble dans une posture que d'autres jugeraient inconfortable, se glisser dans un endroit où son corps sera comprimé.

Les changements sont mal supportés et l'enfant affectionne les activités routinières. Il peut insister pour utiliser le même itinéraire ou pour que l'on fasse les choses de la même manière. Des rangements ou alignements d'objets sont aussi observés.

À côté de ces troubles qui constituent les critères principaux de diagnostic, d'autres anomalies peuvent être relevées.

AUTRES SIGNES CLINIQUES

Dans l'examen clinique de l'enfant de nombreux signes qui n'appartiennent pas à proprement parler aux critères de diagnostic de l'autisme sont fréquemment évoqués.

Retard de développement

Dans l'enfance, et avant que l'ensemble des troubles n'ait été identifié et rattaché au tableau d'autisme, des problèmes non spécifiques sont fréquemment relevés. Le retard de développement psychomoteur, quoique non systématique se rencontre avec une fréquence non négligeable. On peut relever un décalage dans l'acquisition du maintien de la tête, de la station assise et de la marche. L'éveil à l'environnement est tardif. Le retard dans la mise en place d'un langage fonctionnel est relativement constant.

Hétérogénéité du développement

Le profil de développement est rarement homogène. Au contraire, on enregistre des variations qui peuvent être considérables entre les différents secteurs d'activité. L'enfant peut ainsi présenter des activités mieux développées que d'autres. Son niveau de réussite peut même dépasser celui qui est habituellement enregistré à son âge, ce qui contraste avec d'autres domaines qui sont plus déficitaires. Dans certains cas restant malgré tout exceptionnels, sont observés des îlots de compétence qui dépassent même largement les capacités habituellement observées dans la population normale. Bien que ce phénomène dit de « l'idiot savant » ne soit pas spécifique à l'autisme, la manifestation de talents hors du commun chez des personnes qui sont par ailleurs déficientes dans leur développement intellectuel et dans leur adaptation sociale est plus fréquente dans l'autisme que dans les autres troubles du développement.

Les capacités observées dans ce cas touchent généralement un domaine étroit et très spécialisé pour lequel la personne manifeste un intérêt restreint et soutenu. Elle y développe une habileté dont on pourrait croire simplement qu'elle est à la mesure de la focalisation sur ce thème unique, alors qu'elle repose aussi et surtout sur des capacités exceptionnelles dans un ou plusieurs domaines perceptifs. Les cas les plus fréquemment évoqués sont ceux des calculateurs prodiges, capables d'effectuer des opérations complexes de manière instantanée, des calculateurs de calendrier, des dessinateurs qui restituent le modèle de manière quasi photographique, et des musiciens reproduisant très fidèlement une mélodie entendue une seule fois. L'habileté à reconstituer des puzzles ou à remonter des mécanismes complexes peut également se manifester d'une manière exceptionnellement supérieure à la normale. Ces compétences si impressionnantes sont généralement peu fonctionnelles et restent limitées à leur expression dans un cadre restreint. Même les manifestations de type artistique gardent un caractère répétitif et stéréotypé.

Troubles du sommeil

Les troubles du sommeil sont pratiquement la règle. L'enfant reste éveillé longuement ou se réveille dans la nuit. Le comportement est alors variable d'un sujet à l'autre. Les périodes d'insomnie peuvent être accompagnées d'une détresse que rien ne peut consoler. Mais l'enfant peut aussi rester les yeux ouverts de longues heures sans se manifester. Il est alors complètement passif ou présente des stéréotypies telles que des balancements accompagnés ou non de crouomanie (il se tape la tête) et de vocalisations elles aussi répétitives. Il se lève parfois pour se livrer à des manipulations stéréotypées d'objet ou simplement déambuler.

Troubles de l'alimentation

Les perturbations de l'alimentation sont également répandues. Elles peuvent être très précoces, l'enfant étant d'emblée très passif au moment de la tétée et ne présentant pas les réactions de succion. Plus tard, il peut résister à toute modification, notamment au moment du passage à l'alimentation solide. Enfin, il peut manifester des préférences marquées pour une gamme très étroite de nourriture et ritualiser la situation de repas soit par l'usage d'objets spécifiques, soit par des choix très précis de produits identifiés parfois par le goût mais aussi très souvent par l'emballage.

Problèmes dans l'acquisition de la propreté

L'acquisition de la propreté est généralement problématique. Des cas d'apprentissage instantané et brutal se rencontrent. Dans ce cas, l'enfant devient propre du jour au lendemain, ce qui contraste curieusement avec d'autres domaines dans lesquels son développement est retardé. Mais dans la majorité des cas, le contrôle est difficile à établir et ceci pour différentes raisons. Il existe fréquemment des troubles du transit avec diarrhée ou constipation rebelle. Ces anomalies peuvent être renforcées par des habitudes alimentaires peu adaptées. L'enfant peut aussi être indifférent à l'égard des signaux en provenance de son propre corps, soit qu'il ne les perçoive pas, soit qu'il n'en intègre pas le sens. L'éventualité de selles douloureuses est également à envisager, surtout dans le contexte d'une constipation, et lorsque l'enfant présente par ailleurs les signes d'une hypersensibilité au niveau des muqueuses. Enfin, des peurs spécifiques liées aux toilettes, des rituels ou des intérêts stéréotypés comme le fait de tirer la chasse d'eau parasitent parfois fortement l'apprentissage de la propreté.

Problèmes moteurs

Des signes tels que l'hypertonie ou l'hypotonie, des anomalies discrètes sur le plan postural, et des problèmes de coordination peuvent déjà être décelés précocement. Les troubles se situent dans le domaine de la motricité globale comme dans celui de la motricité fine et les perturbations touchent à la fois la motricité instrumentale qui permet l'adaptation à l'environnement, et la motricité de relation qui participe à la communication par les gestes et les postures (Rogé, 1991 ; Leary et Hill, 1996).

Au niveau de la motricité globale, que le rythme de développement ait été affecté au départ ou non, le maintien et les déplacements présentent ensuite des particularités. Les mouvements peuvent être pauvres, ralentis ou différés dans leur exécution avec en particulier des difficultés de démarrage du geste. Les problèmes d'initiative sont également fréquents, l'enfant ne produisant pas un geste dans le contexte où il serait adapté alors qu'il peut très bien le réaliser par ailleurs. Des postures particulières peuvent être observées comme par exemple la tête inclinée sur l'épaule. Dans les déplacements sont notées des anomalies comme le positionnement des bras en flexion ou en extension, les mouvements d'accompagnement de la marche étant inexistants ou se produisant à contretemps. La marche sur la pointe des pieds qui peut être observée dans le développement normal, subsiste à un stade où elle devrait avoir disparu. Des mouvements stéréotypés peuvent interférer avec le mouvement et rythmer les déplacements. Quoique fréquente, l'incoordination motrice n'est pas la règle. On enregistre parfois une aisance paradoxale à ce niveau, l'enfant étant alors capable d'adopter des postures à la limite de la rupture d'équilibre, d'escalader des obstacles et de manifester des compétences qui se situent largement au-dessus de son âge. L'hyperactivité ou l'apathie peuvent entraver le fonctionnement. Le niveau d'activité est parfois fluctuant chez un même enfant.

Dans le domaine de la motricité fine, les problèmes de coordination peuvent entraver la manipulation précise des objets. La latéralité s'établit tardivement. Elle se définit plus souvent à gauche ou reste indéterminée et les deux mains ont du mal à se coordonner dans une activité complémentaire. La négligence d'une main est fréquemment observée. De manière paradoxale, certains sujets sont par contre capables de réaliser des manipulations fines d'une rare précision. Dans ce cas, la dextérité manuelle est généralement mise au service de comportements répétitifs et dénués de tout caractère fonctionnel.

Au niveau facial, la mobilité est souvent réduite. Les mimiques faciales sont pauvres et peu ajustées au contexte social. On observe ainsi des crispations, des mouvements parasites, des expressions faciales sans rapport apparent avec la situation, ou d'une intensité anormale.

Problèmes sensoriels

La sensorialité comporte elle aussi de multiples anomalies d'apparition précoce. Ces signes sont souvent très marqués avant l'âge de 6 ans. Les perturbations concernent généralement toutes les modalités sensorielles. Elles se manifestent par des réactions atténuées, voire absentes, ou au contraire par des réponses exagérées s'accompagnant de réactions d'évitement, et par des conduites entraînant une autostimulation par rapport à des sources extérieures ou par rapport à la mobilisation du corps qui est source d'inputs sensoriels de nature proprioceptive, kinesthésique, ou vestibulaire. Certains enfants présentent des réponses dominées par l'hyporéactivité ou l'hyperréactivité. Cependant, dans la plupart des cas, les deux types de fonctionnement existent chez un même sujet et c'est donc la fluctuation des réponses qui caractérise le mieux le comportement. Les récits autobiographiques livrés par des personnes atteintes d'autisme de haut niveau ont permis de confirmer l'existence de troubles sensoriels avec notamment une hyporéactivité à certains stimuli ou au contraire une extrême sensibilité à des informations spécifiques (Grandin, 1994, 1997). Ces récits relatent également des états de panique, vraisemblablement liés à des situations incompréhensibles ou à des sensations difficiles à intégrer dans une perception cohérente de l'environnement.

Troubles émotionnels

Ils sont fréquents dans le développement avec notamment des manifestations d'anxiété. Avec l'âge, les manifestations anxieuses s'estompent le plus souvent. Dans certains cas cependant, les manifestations phobo-obsessionnelles s'installent durablement et s'amplifient. Des éléments dépressifs peuvent aussi apparaître, surtout à partir de l'adolescence et avec la prise de conscience des difficultés.

SIGNES CLINIQUES DU SYNDROME DE RETT

Longtemps confondu avec l'autisme, le syndrome de Rett en est maintenant clairement distingué. C'est un trouble grave du développement qui touche essentiellement les filles, quelques cas de syndrome de Rett ayant été rapportés chez le garçon. Son origine génétique a été découverte en 1999 avec la mise en évidence de mutations dans le gène MECP2 chez une grande partie des filles atteintes du syndrome de Rett et chez des garçons présentant une déficience intellectuelle sévère (Amir *et al.*, 1999). Le syndrome de Rett se manifeste après une période de développement normal suivie d'une phase de régression rapide précédée d'une stagnation de quelques mois. Les anomalies se situent à plusieurs niveaux. Sur le plan du comportement, l'enfant présente une perte d'intérêt pour le visage et le contact physique. Son regard est vide et son faciès figé. On relève une perte de l'intérêt pour les personnes et les objets alors que la poursuite oculaire est conservée. Le plus souvent, ces comportements orientent vers le diagnostic d'autisme, mais d'autres manifestations neurovégétatives et neurologiques vont permettre d'évoquer le syndrome de Rett. L'enfant présente des signes d'anxiété aux changements brutaux de situation, des mouvements du tronc et des membres ainsi qu'une hyperventilation paroxystique durant laquelle le rythme respiratoire se précipite pour aboutir parfois à une pause respiratoire. Des crises se manifestant par une résolution du tonus ou une rigidité extrême, des tremblements, et des modifications vasomotrices sont observées. Le tracé EEG est normal durant ces épisodes et il est probable que ces crises soient induites par des syncopes dues à l'arrêt respiratoire et à l'état d'anoxie qu'il provoque. L'un des signes très caractéristiques est la perte de la coordination manuelle. Les activités de manipulation qui étaient bien développées jusque-là disparaissent avant 3 ans.

Par contre des stéréotypies manuelles apparaissent. Elles sont faites de mouvements symétriques, l'enfant se frottant par exemple les mains croisées devant la poitrine (stéréotypie de lavage des mains). Il peut également saisir sa langue et la manipuler, se frapper les dents, grimacer de manière répétitive, et présenter un bruxisme (grincement des dents). Par contre, les autres formes de stéréotypies communément rencontrées dans l'autisme ne sont pas retrouvées. Une incoordination du tronc (ataxie) apparaît lors de la station assise. On observe de brusques secousses de type myoclonique qui représentent des réactions pour maintenir l'équilibre. L'incoordination touche aussi les membres qui sont animés de secousses lors des mouvements. La station debout n'est maîtrisée que tardivement. Le stade de la marche autonome n'est atteint que dans 50 % des cas. La démarche est alors instable, rigide. Le polygone de sustentation est élargi et l'équilibre précaire. Les éléments de prélangage qui étaient apparus au stade des vocalisations disparaissent pour se réduire à des grognements. Toutefois, certains enfants accèdent à l'utilisation d'un ou deux mots isolés.

À partir de la phase de régression, la courbe de croissance du périmètre crânien ralentit et s'aplatit. Une stabilisation apparente est ensuite observée aux alentours de 3 ans. La présentation évoque alors l'état démentiel avec absence de langage, absence d'activité coordonnée et incapacité à satisfaire ses besoins élémentaires. Le retrait et les autres signes qui pouvaient faire penser à l'autisme s'estompent. Des signes neurologiques nouveaux apparaissent par contre. Dans ce contexte, une épilepsie peu sévère et sensible aux traitements antiépileptiques habituels peut être observée. Les troubles vasomoteurs s'intensifient et sont prédominants au niveau des membres inférieurs. On observe en particulier une froideur des extrémités, une cyanose, une sudation exagérée et une tendance à l'amyotrophie.

L'évolution peut être rapide et extrêmement péjorative, surtout lorsque le début a été très précoce. Dans ce cas, l'enfant peut régresser au point de perdre la station assise. Il présente d'importantes difficultés d'alimentation avec évolution vers la cachexie. Le pronostic est parfois moins sévère, l'enfant stagnant au niveau auquel il a régressé ou réalisant même quelques modestes progrès.

Signes cliniques des troubles désintégratifs de l'enfance

Ces troubles sont caractérisés par une régression marquée dans tous les domaines d'activité après une période d'au moins deux ans de développement normal. Jusqu'à cet âge, l'enfant a évolué normalement sur le plan de la communication verbale et non verbale, des relations sociales, du jeu et des comportements adaptatifs. L'enfant présente donc une perte significative de toutes ses acquisitions antérieures. La régression se produit au niveau de tous les comportements sociaux comprenant les différents modes de communication. Elle touche la motricité et le jeu. Le contrôle sphinctérien est également perdu.

La présentation de l'enfant ressemble à celle d'un autiste dans la mesure où l'on observe une altération qualitative des capacités d'interaction sociale et de communication et des comportements répétitifs et stéréotypés. Ce type de trouble est généralement associé avec un retard mental sévère. Il s'agit très certainement d'un tableau lié à une anomalie dans le développement du système nerveux central mais le mécanisme exact en reste inconnu. Il a reçu différentes appellations, la plus connue étant le syndrome de Heller, mais il peut aussi recouvrir la notion de démence infantile ou de psychose désintégrative.

Signes cliniques du syndrome d'Asperger

Comme dans l'autisme, la sphère la plus affectée est celle des interactions sociales, et l'on observe aussi des activités répétitives et la focalisation sur des centres d'intérêt restreints. Ces particularités entraînent des problèmes d'adaptation sociale même chez les sujets dotés de bonnes capacités intellectuelles. Le langage n'est pas touché dans son développement comme cela est classique dans l'autisme. L'enfant acquiert les mots et les phrases dans un délai raisonnable et ses productions atteignent même parfois un degré d'élaboration remarquable. On relève par contre à ce niveau des anomalies qualitatives dans le choix de mots ou de formules peu courants qui peuvent donner au discours un caractère pédant et renforcer l'inadaptation aux situations sociales. De même, le développement cognitif n'est pas systématiquement affecté et l'enfant apprend à peu près normalement tout ce qui touche à l'autonomie personnelle et domestique. Sa curiosité à l'égard de l'environnement physique est normale et parfois même très développée, les comportements laissant augurer assez précocement de l'installation de compétences particulières, mais qui peuvent rester non fonctionnelles et alimenter ainsi les conduites répétitives ou limitées à un champ très restreint (Atwood, 1998).

La motricité est par contre affectée. L'incoordination dans les mouvements globaux ou dans les gestes plus fins est fréquemment signalée, et pour certains auteurs, les troubles moteurs font partie des critères importants pour le diagnostic (Gillberg et Gillberg, 1989). Le statut exact de ces difficultés motrices dans le syndrome d'Asperger n'est cependant pas très clair et ne fait pas l'unanimité. En effet, il reste difficile de préciser si les anomalies motrices sont liées à une véritable incoordination ou s'il s'agit d'un problème de mise en œuvre, donc d'utilisation du mouvement. Par ailleurs, l'utilisation des troubles moteurs comme critère spécifique du syndrome d'Asperger permettant de distinguer celui-ci de l'autisme reste discutée (Frith, 1991).

Les mouvements stéréotypés appartiennent également au tableau quoiqu'ils soient ici moins massifs que dans l'autisme. Ils apparaissent essentiellement lorsque l'individu est stressé. Par contre, ils sont souvent très atténués lorsque la personne, aidée la plupart du temps par son entourage, a appris à en prendre conscience et à les contrôler en situation sociale.

Les intérêts spécifiques sont par contre bien repérables dans la mesure où ils deviennent fréquemment le sujet essentiel de conversation et envahissent donc la vie sociale sans que la personne ne puisse prendre en compte l'éventuelle lassitude de ses interlocuteurs. La focalisation sur une idée ou un thème n'a pas le caractère contraignant habituellement lié aux obsessions et aux compulsions, mais la personne qui les présente semble véritablement privilégier ce type de fonctionnement et en tirer du plaisir. Elle n'essaie pas de résister à cet investissement excessif mais s'y adonne avec complaisance, ignorant le plus souvent l'impact négatif que ces conduites peuvent avoir sur l'entourage.

DIAGNOSTIC DIFFÉRENTIEL

En dehors du diagnostic différentiel avec les autres troubles envahissants du développement que sont le syndrome de Rett, le syndrome d'Asperger et les troubles désintégratifs de l'enfance, d'autres pathologies doivent être éliminées avant de confirmer le diagnostic d'autisme :

– La surdité est généralement évoquée en premier lieu devant l'absence de réaction de l'enfant à l'appel de son prénom ou à d'autres stimulations sonores. Cette éventualité est facilement éliminée par les examens appropriés.

– Les troubles spécifiques du langage sont parfois plus difficiles à distinguer en raison du recoupement possible de certains signes. Cependant, l'enfant dysphasique développe généralement des modes de communication non verbale aptes à compenser le déficit du langage. Lorsque celui-ci apparaît, il comporte alors des particularités qui feront évoquer un trouble spécifique du développement dans le domaine du langage plutôt qu'un autisme.

– Dans le cadre des troubles du langage, une place particulière doit être réservée au syndrome sémantique-pragmatique. Ce sous-groupe pose question et ajoute encore un peu plus de confusion au problème déjà difficile de diagnostic de l'autisme. Ce groupe est constitué par des enfants présentant un désordre complexe du langage (Rapin et Allen, 1983). Ces enfants ont donc de sévères problèmes de langage tels que des difficultés de compréhension, de l'écholalie, des déficits conceptuels, et des difficultés à utiliser les gestes. De plus, certains de ces enfants montrent précocement des problèmes sévères de comportement et un déficit au niveau du jeu symbolique. Lorsque ces cas ont été décrits, de nombreux spécialistes du langage ont insisté sur le fait que certains de ces enfants n'étaient pas autistes en dépit de similitudes évidentes entre le tableau présenté et celui de l'autisme. Mais cette affirmation était vraisemblablement fondée sur le fait que ces enfants n'étaient pas retirés socialement et se montraient affectueux. Cela pose problème car cette attitude repose sur une conception peut-être trop étroite de l'autisme ou sur le recours trop facile à l'image de l'autisme de Kanner. Certains éléments du tableau évoquent les cas décrits par Asperger. En particulier, ces enfants sont présentés comme étant égocentriques, peu habiles sur le plan social, étant incapables de s'entendre avec des pairs du même âge, montrant surtout de l'affection aux adultes.

Quelques enfants seulement ayant reçu le diagnostic de syndrome sémantique pragmatique ont une présentation qualitative différente de celle de l'autisme mais aussi différente de celle des enfants présentant des désordres du langage plus courants. Ces enfants prennent conscience de leurs difficultés de communication ce qui est frustrant pour eux et ils font des tentatives pour maintenir la conversation. Pour ce faire, ils utilisent des gestes et le mime. Ils peuvent aussi utiliser le corps de l'adulte comme le font certains enfants autistes mais alors, ils vérifient constamment le résultat de leur action en regardant le visage de l'adulte et en particulier ses yeux. Dans ces cas, le désordre est réellement limité aux fonctions du langage et l'enfant comprend ce qu'est la communication. Ces enfants sont beaucoup plus sociables que les enfants avec autisme et peuvent participer à des jeux avec les autres enfants. Il semble donc qu'il puisse exister un désordre du langage qui n'affecte que les aspects sémantiques et pragmatiques du langage. Cependant, lorsque la difficulté de compréhension de la communication, le manque d'empathie sociale et le manque d'imagination existent aussi, alors le diagnostic d'autisme peut être évoqué.

Bishop (1989) suggère que l'on utilise un continuum sur deux dimensions : le comportement social et les intérêts d'une part, et la communication verbale fonctionnelle d'autre part. En croisant ces deux dimensions, ce qui caractérise l'autisme est un handicap important dans le comportement social et dans la communication verbale, et le syndrome d'Asperger est caractérisé par de faibles anomalies du langage et de plus gros problèmes dans le comportement social et les intérêts. Enfin le désordre sémantique pragmatique montre le pattern inverse : peu d'atteinte des comportements sociaux et des intérêts mais une atteinte relativement sévère dans le domaine de la communication verbale.

– Le retard intellectuel : il comporte parfois des signes tels que les stéréotypies qui se rencontrent dans l'autisme. Cependant, ils ne sont pas spécifiques de cette pathologie et c'est la recherche de la « triade anomalies du comportement social, anomalies des communications, intérêts et comportements stéréotypés » qui devra guider l'orientation diagnostique vers l'autisme lorsqu'il est associé à la déficience mentale.

– Les carences affectives sévères, comportent des anomalies d'apparence autistique mais ces anomalies se montrent sensibles à l'amélioration de l'environnement sur une courte période. L'enfant développe alors d'autres manifestations qui sont plus du registre émotionnel avec par exemple une dépendance forte à l'adulte, et une anxiété à la perspective d'une séparation.

– Les psychoses : elles sont rares dans l'enfance et se caractérisent par des troubles qui les apparentent plus à la schizophrénie de l'adulte qu'aux troubles du développement. Les signes centraux pour retenir la notion de psychose infantile sont les hallucinations auditives, le délire et les troubles du cours de la pensée.

– Le mutisme sélectif. La distinction entre autisme et troubles émotionnels comme le mutismes électif est généralement aisée à établir : la communication n'est pas totalement touchée dans le mutisme sélectif, et l'enfant présente de meilleures capacités adaptatives dans certains milieux où il se sent en sécurité. Cependant, le diagnostic différentiel n'est pas toujours facile dans le cas d'autistes de haut niveau qui ont des capacités intellectuelles normales ou subnormales et dont les capacités de communication peuvent aussi s'exprimer de manière parfois très singulière.

LES SIGNES PRÉCOCES DE L'AUTISME

Bien qu'il n'existe pas de paramètre infaillible pour repérer l'autisme dans la petite enfance, les données cliniques accumulées depuis plusieurs années, les études longitudinales et les études rétrospectives, notamment à l'aide des films familiaux permettent de guider le diagnostic.

Si le diagnostic précoce est délicat, c'est parce que l'autisme constitue un syndrome dont les manifestations varient sur un continuum de gravité. Ainsi, les signes centraux du syndrome (déficit dans l'interaction sociale réciproque, déficit dans le langage et d'une manière plus générale dans le domaine de la communication) bien que toujours observés, peuvent être discrets dans la petite enfance. Par ailleurs, le spectre des troubles associés est relativement large (automutilations, stéréotypies). Enfin, à l'intensité faible des manifestations chez le très jeune enfant peut être associée une fluctuation des anomalies dans le contact social. Ainsi, c'est plus le degré d'intensité des troubles, que des différences qualitatives qui différencie le jeune enfant de l'enfant d'âge scolaire.

Des anomalies sont enregistrées au niveau du développement sensori-moteur, du langage et de la communication, des interactions sociales, de la manipulation des objets.

L'accord rencontré au niveau international sur les signes les plus centraux de l'autisme ne doit pas masquer les incertitudes qui subsistent au niveau de la délimitation du syndrome. La notion de continuum autistique (Wing et Gould, 1979), puis de spectre autistique

(Wing, 1996) correspond à l'idée qu'il existe des degrés variables dans l'intensité des symptômes, ce qui est admis par tous. Mais cette définition plus extensive de l'autisme soulève des discussions sur les limites du syndrome autistique et par conséquent sur les taux de prévalence. Sur un autre plan, si l'un des critères de diagnostic de l'autisme est l'apparition des troubles avant l'âge de 36 mois, Wing a aussi souligné la possibilité de manifestations légèrement plus tardives dans quelques cas. La dimension développementale du trouble, qui induit des variations du tableau clinique d'âge en âge est d'ailleurs peu prise en compte dans les descriptions de l'autisme, ce qui renforce encore le problème de validité du diagnostic dans des périodes d'évolution où la symptomatologie est moins marquée.

C'est dans ce contexte que se pose le problème du diagnostic précoce de l'autisme. En effet, bien que la participation de facteurs biologiques soit avérée, il n'existe pas de marqueurs biologiques de l'autisme et il reste nécessaire de s'appuyer sur des signes comportementaux pour établir le diagnostic. Le repérage précoce des troubles représente un enjeu de taille puisqu'il ouvre des perspectives de prise en charge à un âge où certains processus de développement peuvent encore être modifiés. La littérature sur l'intervention précoce intensive est explicite à ce niveau : les chances de modifier sensiblement la trajectoire développementale sont importantes et les enfants qui bénéficient d'une telle intervention précoce et intensive s'améliorent de manière significative sur le plan cognitif, émotionnel et social. Les études de suivi des enfants pris en charge précocement et de manière intensive ont en effet montré une accélération significative du rythme de développement avec des gains substantiels au niveau du QI, des progrès au niveau du langage, des comportements sociaux significativement améliorés et une diminution des signes d'autisme chez les enfants pris en charge. Ces résultats sont obtenus dans la plupart des cas en un ou deux ans d'intervention précoce et intensive. La majorité des enfants pris en charge (73 %) atteint un niveau de langage fonctionnel à la fin de la période d'intervention (en général vers 5 ans). Lorsque la stabilité des effets obtenus a été étudiée, le maintien des gains après la fin de l'intervention a été confirmé.

Actuellement, le diagnostic d'autisme est établi le plus couramment entre 2 et 3 ans en moyenne. Cependant, les cliniciens expérimentés pourraient déceler les signes de l'autisme beaucoup plus précocement : à 12 mois en moyenne pour Fombonne et De Giacomo (2000), à 12,7 mois pour Volkmar *et al.* (1994), après le premier anniversaire pour Rogers et Di Lalla (1990), vers 13 mois pour Fombonne (1995).

Il existe donc un décalage important entre la connaissance des manifestations précoces de l'autisme et la mise en application au niveau du diagnostic. Le retard pris pour le diagnostic est lié à plusieurs facteurs. L'une des premières causes repérable est le manque d'expérience des parents qui ne connaissent pas le développement normal, comme c'est le cas lorsqu'il s'agit du premier enfant de la famille. Les parents peuvent ne pas accorder d'importance à de petits signes traduisant pourtant un retard ou une déviance qualitative dans le développement. Même lorsque les parents relèvent des anomalies, ils peuvent adopter une attitude d'évitement en raison de leur difficulté à accepter la situation et s'appuyer sur des éléments positifs pour écarter l'idée d'une pathologie possible. Les parents, et plus spécifiquement les mères, peuvent ainsi avoir développé des routines interactives particulièrement efficaces pour déclencher et maintenir des comportements sociaux d'apparence normale. Les mères négligent alors le fait que le comportement de l'enfant est hautement dépendant de la stimulation spécifique, de la personne qui la propose et que les réponses positives de l'enfant ne sont en fait que des séquences stéréotypées dont la qualité sociale est très limitée. Le manque d'expérience du professionnel peut également être en cause et il arrive que certains médecins peu familiarisés avec la symptomatologie précoce de l'autisme en banalisent les premiers signes en se montrant résolument rassurants avec les parents.

La difficulté du diagnostic au plus jeune âge renvoie aussi au fait que les outils habituellement utilisés pour faire le diagnostic ne sont pas adaptés pour le plus jeune âge. En effet, les critères retenus dans les classifications et les seuils ne s'appliquent pas bien aux jeunes enfants surtout lorsqu'ils présentent un retard, car les principaux critères de diagnostic portent sur des comportements qui peuvent ne pas encore être apparus. Par ailleurs il existe une variabilité importante d'expression du désordre qui peut mettre le clinicien en difficulté pour apprécier le caractère significatif de certaines manifestations relativement discrètes, et ce, d'autant plus que le comportement typique lui-même présente des variations interindividuelles. L'une des caractéristiques du profil de développement de l'enfant autiste est d'être très hétérogène. Chez l'enfant très jeune, les différences entre les secteurs de développement sont par définition moins perceptibles car elles ne peuvent porter que sur quelques mois.

Au plus jeune âge, le diagnostic repose donc essentiellement sur le jugement du clinicien. Les études portant sur ce type de démarche montrent que le jugement clinique de spécialistes expérimentés est fiable dans une proportion importante des cas. Ainsi, le plus grand nombre des enfants ayant reçu le diagnostic d'autisme avant 3 ans ont un diagnostic stable par la suite (Gillberg *et al.*, 1990 ; Lord, 1995). Le diagnostic d'autisme formulé à 2 ans est en effet retrouvé à 3 ans dans 72 % des cas. Le diagnostic de trouble du développement non spécifié (PDD-NOS) est moins stable : seulement 42 % des enfants diagnostiqués à 2 ans ont encore le même diagnostic à 3 ans. Parmi ceux dont le diagnostic change, 50 % passent dans la catégorie de l'autisme et 50 % sortent du spectre des troubles autistiques (Lord *et al.*, 1996).

Les observations de l'autisme chez le jeune enfant permettent de repérer les signes déjà perceptibles au début du développement. D'après les nombreux travaux maintenant effectués, peut ainsi être décrite la symptomatologie la plus fréquemment retrouvée. Des anomalies sont signalées dans la communication et l'utilisation des symboles, la répétition des sons, les jeux symboliques, les interactions sociales, l'imitation, le geste de pointer, l'utilisation du regard, les activités qui sont répétitives et traduisent un besoin d'immuabilité, l'utilisation des objets. Sont également relevés des maniérismes des mains et des doigts, des activités de reniflement des objets et des personnes, la mise en bouche des objets, les réactions atypiques aux sons et aux autres stimulations sensorielles ainsi que des anomalies motrices et posturales.

Si dans le contexte individuel d'une anamnèse précise, et en réunissant tout un faisceau de signes cliniques, le professionnel averti peut faire un diagnostic d'autisme chez les jeunes enfants avec une fiabilité relativement bonne, il n'en reste pas moins que tous ces signes n'ont pas la même valeur pronostique.

Les recherches actuelles s'orientent donc vers l'identification de signes constituant des marqueurs fiables de l'autisme, c'est-à-dire qui soient suffisamment sensibles (pourcentage suffisant d'enfants identifiés), spécifiques (faible taux de faux positifs) et ayant une bonne valeur prédictive (diagnostic confirmé et validé par la suite). Il faut de surcroît qu'ils soient utilisables par tous les professionnels.

Les études empiriques dans lesquelles de jeunes enfants autistes sont comparés à des enfants retardés sans autisme ou à des enfants ayant des troubles spécifiques du développement permettent de dégager les signes susceptibles de différencier les enfants avec autisme des autres. Les éléments les plus évocateurs de l'autisme sont ainsi les difficultés au niveau de l'attention conjointe (Mc Evoy *et al.*, 1993 ; Mundy *et al.*, 1994 ; Baron-Cohen *et al.*, 1992), la faible tendance à regarder le visage, le manque de réponse à l'appel du prénom et l'absence de jeux de faire semblant (Hertzig *et al.*, 1989 ; Osterling et Dawson, 1994). Les études portant sur les films familiaux (Adrien *et al.*, 1991 ; Adrien *et al.*, 1993) ont retenu des signes clairement indicatifs de l'autisme différents suivant l'âge concerné. À 1 an, c'est la pauvreté du contact, le faible nombre de sourires sociaux et le peu d'expressivité des mimiques qui dominent. À 2 ans, c'est encore la pauvreté du contact et la faible valeur expressive des manifestations émotionnelles, mais aussi les stéréotypies, les postures bizarres et l'attention labile qui permettent de différencier les autistes des autres enfants.

Une autre voie d'approche pour le repérage des signes précoces est la technique de l'entretien avec les parents. Lord et Risi (2000) ont mis en évidence un certain nombre d'items susceptibles de distinguer les enfants porteurs d'autisme. Deux items de l'entretien sont très discriminatifs chez l'enfant de 2 ans dont le diagnostic d'autisme sera confirmé à 3 ans : le premier comportement indicatif d'une anomalie est l'attention à une remarque neutre. L'enfant ne manifeste aucune réaction si l'adulte prononce une phrase du style « oh il pleut » sans l'appeler par son prénom et sans se diriger vers lui ou attirer particulièrement son attention. Le deuxième comportement correspond à la manière dont l'enfant sollicite et dirige l'attention de l'adulte. L'enfant n'essaie pas spontanément de faire regarder quelque chose à distance (un animal, les étoiles). Ces deux items sont liés à la communication sociale et c'est dans ce secteur que les indices d'autisme doivent d'abord être recherchés. Les autres comportements, comme les comportements répétitifs et les intérêts restreints ne sont dans la plupart des cas pas encore apparus à 2 ans ou n'alertent pas encore les adultes.

À trois ans cinq types de comportements discriminent clairement l'autisme. L'un est le même qu'à deux ans (attention à une remarque neutre). Le second est une description plus fine d'une tentative de diriger l'attention de l'adulte avec pointé du doigt pour exprimer son intérêt et le partager. Il ne s'agit pas simplement de pointer un objet pour le demander. À cet âge les maniérismes sont devenus suffisamment communs pour contribuer au diagnostic. Le fait d'utiliser la main de l'autre comme un outil est aussi un item discriminant.

Enfin, l'absence d'utilisation spontanée et avec une certaine régularité de mots significatifs (en dehors de papa et maman) devient également un indicateur relativement fiable à l'âge de trois ans.

Cette étude a été réalisée sur un échantillon comportant des enfants avec des retards cognitifs. Bien que peu d'enfants de cet échantillon avec ou sans autisme aient du langage à deux ans, il faut souligner que dès deux ans le langage aide au diagnostic sous la forme d'un item de langage réceptif. En effet, dès cet âge, l'enfant qui ne comprend pas de mots hors contexte est à haut risque pour l'autisme. À trois ans l'absence de mot significatif utilisé régulièrement est aussi un indicateur de l'autisme quoiqu'il y ait des enfants avec autisme qui n'ont pas de tels problèmes de langage.

La même étude (Lord, 1995) montre que les critères standards de diagnostic appliqués à deux ans ont tendance à sur-diagnostiquer les enfants ayant des retards cognitifs mais sous-diagnostiquent des enfants autistes qui n'ont pas encore d'activité répétitive. Cela peut être dû en partie au fait que les parents n'ont pas encore reconnu le caractère répétitif. Par exemple un enfant de deux ans qui jette des objets ou tourne les pages d'un livre n'appelle l'attention qu'après un certain temps s'il persiste et si cela est en concurrence avec le fait de s'engager socialement.

Enfin, les chercheurs se sont également appuyés sur les mesures issues de l'observation standardisée pour affiner les possibilités d'identification de l'autisme dès le plus jeune âge. C'est ainsi que Lord a examiné cent dix enfants vus à 2 ans pour suspicion d'autisme et vingt et un enfants retardés à l'aide de l'ADOS (*Autism Diagnostic Observation Schedule*, Lord *et al.*, 1999). Dans cette étude, tous les enfants vus à 2 ans font l'objet d'un diagnostic clinique en plus de l'observation dans le cadre de l'ADOS. À l'âge de 5 ans, les mêmes enfants sont revus pour un diagnostic clinique et un ADOS et un ADI-R (*Autism Diagnostic Interview-Revised*, Lord *et al.*, 1994) sont pratiqués avec les parents. À l'âge de deux ans, les enfants de plus haut niveau sont moins bien identifiés mais l'ADOS est plus sensible que les rapports des parents. Les comportements en situation spécifique (ADOS) sont moins effectifs pour discriminer les enfants avec autisme des autres que les comportements observés dans différents contextes. La réponse à l'attention conjointe est très influencée par le développement et les enfants retardés ne présentent pas cette réponse du fait de leur retard. Le jugement de l'observateur sur l'ouverture sociale est stable d'âge en âge.

Dans cette étude, les enfants diagnostiqués autistes à 2 ans restent dans le spectre autistique à 5 ans. Les enfants dont le diagnostic est douteux passent dans la catégorie des troubles envahissants du développement non spécifiés. Ils avaient un meilleur niveau intellectuel et un meilleur niveau de langage à 2 ans. Sur les cent dix enfants adressés pour suspicion d'autisme, dix seulement ne reçoivent pas le diagnostic d'autisme ou de trouble envahissant du développement non spécifié à 5 ans. Sur les dix, neuf présentent un retard mental ou un retard sévère de langage. Sur les dix, un seul reçoit le diagnostic de trouble oppositionnel. C'est un enfant qui dès le départ, bien qu'adressé pour suspicion d'autisme, n'a jamais été considéré comme appartenant au spectre autistique par l'équipe de spécialistes, même à l'âge de deux ans. Les enfants diagnostiqués autistes à 5 ans n'avaient pas forcément un autisme de forme prototypique à 2 ans. Ils n'étaient pas isolés, étaient répondants à l'interaction sociale notamment à l'interaction physique de type chatouilles, ils manifestaient de l'attachement à l'égard de leur mère et étaient relativement proches d'elle. Ils ne présentaient pas de bizarrerie de comportement ou de maniérismes. Par contre, ils ne répondaient pas quand on leur parlait de manière neutre, ne cherchaient pas à attirer l'attention d'un adulte dans une situation de partage social, ne ramenaient pas un objet d'une autre pièce à la demande de l'adulte. Ces comportements susceptibles de les différencier des autres enfants dès l'âge de 2 ans étaient issus de mesures multiples puisqu'ils étaient saisis à la fois par l'observation standardisée et par les entretiens.

Enfin, les questionnaires de dépistage suscitent également beaucoup d'intérêt car ils pourraient permettre une identification précoce des enfants avant même qu'ils ne soient entrés dans le milieu spécialisé. Plusieurs outils ont ainsi été mis au point et testés sur des populations à risque. Le CHAT (*Checklist for Autism in Toddlers*) élaboré par Baron-Cohen *et al.*, 1992, pose des problèmes de sensibilité et de valeur prédictive (Baron-Cohen *et al.*, 1996). Le STAT (*Screening Tool for Autism*) mis au point par Stone *et al.* (2000) a seulement fait l'objet d'études préliminaires. Sa sensibilité et sa spécificité sont encore incertaines. L'ASQ (*Autism Screening Questionnaire*) élaboré par Michael Rutter et Cathy Lord (Berument *et al.*, 1999) n'est pas encore validé sur les plus jeunes enfants. Tous ces instruments sont donc loin de pouvoir encore jouer un rôle très déterminant au niveau d'un dépistage systématique.

Mais beaucoup plus simplement, des indicateurs simples de problèmes dans les étapes du développement ordinaire peuvent aussi alerter les professionnels de la petite enfance et contribuer à un premier dépistage : l'absence de babillage à 12 mois, l'absence de gestes (indiquer du doigt, faire « au revoir », etc.) à 12 mois, l'absence de mots à 16 mois, l'absence de phrases de deux mots spontanés à 24 mois (pas seulement de l'écholalie), et toute perte de langage et d'autres modes de communication ou de compétences sociales à n'importe quel âge sont autant d'éléments révélateurs d'une perturbation qui pourrait s'inscrire dans un contexte de trouble envahissant du développement.

L'autisme peut donc être diagnostiqué de manière relativement fiable avant 3 ans. Les différentes études ont permis de montrer ce qui différencie l'autisme des autres désordres du développement dans la période de 20 à 36 mois, caractéristiques que les dépistages antérieurs doivent cibler. Les signes évocateurs de l'autisme incluent des déficits dans les domaines du contact visuel, l'orientation à l'appel de son prénom, les comportements d'attention conjointe (pointer, montrer), les jeux de faire semblant, l'imitation, les communications non verbales, et le développement du langage. Les comportements émotionnels socialement dirigés peuvent également différencier les enfants porteurs d'autisme des autres. Mais ni les symptômes sensoriels et perceptifs, ni les comportements répétitifs ou les comportements problématiques ne permettent de différencier de manière constante les enfants avec autisme des non autistes.

Les procédures de dépistage manquent de sensibilité car elles peuvent ne pas identifier les variantes légères sans retard mental évident ou sans retard de langage.

Le diagnostic chez les enfants très jeunes est donc l'affaire de spécialistes avertis car les premiers indicateurs fiables sont surtout des anomalies qualitatives et parfois très subtiles du comportement social. Il n'existe pas de méthode suffisamment fiable de dépistage pour que celui-ci soit généralisé en étant laissé aux mains de professionnels de santé insuffisamment formés à l'autisme. Si l'on veut améliorer la détection des jeunes enfants porteurs d'autisme, il convient de procéder en plusieurs étapes : d'abord renforcer la formation des professionnels de santé impliqués dans les bilans de santé sur le développement normal et les sensibiliser aux premières manifestations de l'autisme. Ensuite prévoir à partir de ce type de détection, l'examen des enfants jugés à risque par des cliniciens expérimentés.

La nécessité d'un diagnostic précoce est reconnue par tous. L'impact d'une intervention précoce est déterminant car le repérage rapide des troubles conditionne largement l'évolution ultérieure. Bien que les résultats publiés soient variables, ils indiquent généralement un gain substantiel, perceptible par la suite au niveau des capacités d'adaptation aux structures scolaires ordinaires ou spécialisées.

Chapitre 4

ASPECTS BIOMÉDICAUX DE L'AUTISME

ÉPIDÉMIOLOGIE

Les taux de prévalence varient d'une étude à l'autre allant de 0,7 pour 10 000 (Treffert, 1970) à 13,9/10 000 (Tanoue et coll., 1988). Une moyenne de 5 pour 10 000 est généralement retenue chez l'enfant (Fombonne et Du Mazaubrun, 1992 ; Fombonne, 1995). Des taux plus élevés ont été rapportés (vingt et un pour dix mille dans l'étude de Wing et Gould de 1979), mais ces chiffres correspondent à une extension de la définition de l'autisme à des syndromes autistiques partiels associés à la déficience mentale. Les taux de prévalence enregistrés sont donc hautement dépendants des critères retenus et de l'accord des chercheurs sur leur application. Ils varient aussi en fonction de l'âge considéré. Ils diminuent lorsque sont inclus les très jeunes enfants et les adolescents car le diagnostic est plus problématique dans ce type de population (Fombonne, 1995). Les études les plus récentes montrent une modification de la prévalence dans le sens d'une augmentation. Pour onze études réalisées depuis 1989, le taux est de 7,2 pour dix mille (Fombonne, 1999). Cette augmentation correspond probablement à l'amélioration du diagnostic et à la prise en compte des désordres du spectre autistique qui englobent une plus vaste population présentant des désordres de l'interaction sociale et de la communication sans pour autant toujours présenter le tableau complet de l'autisme. Mais il est possible aussi que des facteurs environnementaux spécifiques, (immunologiques, génétiques, ou non encore identifiés) contribuent à cette augmentation de la prévalence. Cette question est actuellement très débattue mais les réponses à ce qui reste une interrogation demanderaient à être davantage étayées.

La fréquence de l'autisme est plus grande chez les garçons, le sex-ratio variant de 1,3 pour 1 à 15 pour 1 selon les études (Fombonne, 1995). Les chiffres moyens retenus sont de 4 à 5 garçons pour 1 fille dans le DSM-IV (1994) et de 3 à 4 garçons pour une fille dans la CIM-10 (1993). Le tableau clinique est généralement plus lourd chez les filles, l'autisme étant dans ce cas plus souvent massif et associé à des troubles neurologiques et à des retards mentaux graves.

L'autisme est fréquemment associé à la déficience mentale : 25 % seulement des sujets atteints ont un quotient intellectuel normal ou subnormal (supérieur ou égal à 70) ; 50 % environ des autistes ont un quotient intellectuel inférieur à 50, et leur déficit mental est alors généralement associé à une forme sévère d'autisme.

En ce qui concerne les données socio-économiques, les premiers travaux dont ceux de Kanner sur son groupe initial de 11 patients avaient montré une association entre autisme et classe sociale favorisée, les parents d'enfants autistes ayant plus souvent atteint un niveau d'éducation supérieur au niveau moyen de la population. Cet élément n'a cependant pas été retrouvé dans les études ultérieures, et il est vraisemblable qu'un biais de sélection de la population soit intervenu, les familles de niveau socio-économique plus élevé ayant davantage eu accès dans un premier temps aux services spécialisés susceptibles d'établir un diagnostic fiable (Cantwell et Baker, 1984).

Les données épidémiologiques concernant les autres troubles envahissants du développement sont plus réduites. Le syndrome de Rett est considéré comme relativement rare. Il touche surtout les filles. Dans les premières études menées en Europe, la prévalence est à peu près équivalente : 1 pour 15 000 (Hagberg, 1985) et 1 pour 12 000 à 13 000 (Kerr et Stephenson, 1986). Cependant, une étude menée par la suite à l'échelon de l'état du Texas a abouti à des résultats tendant à montrer que les études antérieures avaient surestimé la prévalence du syndrome de Rett : 1 pour 22 800 sans différences significatives en fonction de l'origine ethnique (Kozinetz *et al.*, 1993).

Les données épidémiologiques concernant les troubles désintégratifs de l'enfance sont rares. Dans la série de cas rapportés par Volkmar et Cohen (1989), ce type de troubles représente environ un dixième de la fréquence de l'autisme. Dans l'étude épidémiologique de Burd et de ses collaborateurs (1989), la prévalence est de 1 pour 100 000, ce qui correspond grossièrement aux résultats de Volkmar même si la méthode d'estimation n'est pas la même. Au départ, il semblait que cette pathologie touchait autant les garçons que les filles. Cependant, il paraît probable que les syndromes de Rett non repérés à l'époque où ce syndrome n'était pas bien connu, ont été pris pour des troubles désintégratifs de l'enfance en raison de la régression. Si l'on considère les cas vus dans les vingt dernières années, les garçons sont plus souvent atteints que les filles.

Quand au syndrome d'Asperger, il pose en matière d'épidémiologie de redoutables problèmes dans la mesure où il a été suivant les époques et suivant les auteurs considérés comme appartenant à l'autisme ou comme une catégorie distincte. L'étude de Wing (1981) faisait apparaître une fréquence de 0,6 enfant pour 10 000 atteints du syndrome d'Asperger et de déficience mentale. Ces chiffres étaient probablement sous-estimés car l'estimation portait sur une population ayant une déficience intellectuelle légère qui représente une minorité dans le groupe des Asperger. Wing considérait que 20 % des cas d'Asperger présentent cette association avec un déficit intellectuel, ce qui permettrait d'estimer la fréquence générale à 3 pour 10 000 (Coleman et Gillberg, 1986). Gillberg et Gillberg (1989) ont rapporté une prévalence d'au moins 10 à 26 pour 10 000 enfants d'intelligence normale et de 0,4 pour 10 000 supplémentaires pour tenir compte des cas dans lesquels le syndrome d'Asperger est associé avec une déficience intellectuelle légère. Dans une autre étude plus récente, (Ehlers et Gillberg, 1993), une prévalence minimale de 3,6 pour 1 000 chez des enfants entre 7 et 16 ans est avancée. Le sexe ratio est de 4 garçons pour 1 fille. Lorsque les cas plus limites sont inclus, la prévalence atteint 7,1 pour 1 000 enfants et le sex-ratio se modifie (2,3 garçons pour une fille). Le syndrome d'Asperger serait donc plus courant que l'autisme et le sex ratio serait plus bas dans le syndrome d'Asperger que dans l'autisme ce qui revient à dire qu'il y aurait plus de filles présentant un syndrome d'Asperger que de filles atteintes d'autisme. Cela aurait des implications importantes pour l'organisation des services et la réplication d'études épidémiologiques rigoureuses est donc indispensable pour confirmer ou invalider ces chiffres.

Si l'on considère toutes les formes de troubles du développement, l'estimation est de 18,7 pour 10 000 (Fombonne, 1999), ce qui signifie qu'un grand nombre de personnes a besoin de services spécifiques.

Maladies associées

Le fait que l'autisme soit associé à d'autres maladies plaide en faveur de l'existence de désordres neurobiologiques sous-jacents. Cependant, il existe des différences considérables dans l'appréciation de la fréquence des diverses maladies associées à l'autisme. Gillberg (1992) par exemple affirme que plus d'un tiers des cas d'autisme sont dus à une maladie identifiable. Par contre, Rutter et ses collaborateurs (1994) n'ont trouvé que 10 % des cas d'autisme associés à des maladies, l'association étant plus fréquente dans les formes d'autisme liées à des retards mentaux sévères. Cependant, les variations enregistrées dans les taux de maladies associées peuvent également être liées à des problèmes de méthodologie.

Les maladies le plus souvent citées dans le cadre des études sur les pathologies associées sont le syndrome de l'X fragile, la sclérose tubéreuse, le syndrome de Williams, le syndrome de Down.

Le syndrome de l'X fragile

Le syndrome de l'X fragile est l'affection la plus courante après le syndrome de Down comme explication du retard mental lié à une cause génétique. Ce syndrome est fréquemment associé à l'autisme mais il ne représente pas, comme on a pu le croire lors de l'identification de cette anomalie, le principal facteur étiologique de l'autisme. Les premières descriptions de ce syndrome se focalisaient sur les garçons atteints et leurs caractéristiques autistiques. On notait ainsi un contact visuel pauvre, un retard de langage, des automutilations, des stéréotypies, une hypersensibilité aux stimuli auditifs et aux changements de l'environnement, des réactions de défense à l'égard des stimuli tactiles, une préoccupation pour une gamme étroite d'intérêts et des relations sociales pauvres. Par la suite, il a été montré que les enfants atteints de l'X fragile qu'ils soient de sexe masculin ou féminin présentaient une gamme étendue de problèmes d'apprentissage et de comportement. Les déficits d'attention et l'hyperactivité sont souvent rencontrés dans cette population, surtout chez les garçons. Les filles présentent plus fréquemment une vulnérabilité à la dépression. Les personnes affectées montrent différents degrés de dysfonctionnement social avec une timidité, une anxiété de performance, un retrait, un évitement social et une aversion pour le contact visuel. Les symptômes sont plus légers chez les personnes présentant une prémutation.

Le syndrome de l'X fragile correspond à un spectre de comportements sociaux évitants qui vont des caractéristiques de l'autisme à une extrémité, jusqu'à la timidité de l'autre. Ces caractéristiques vont dans le sens de l'existence d'un phénotype propre à l'X fragile et qui est parfois associé à l'autisme typique.

La sclérose tubéreuse

Elle affecte une personne sur dix mille. Elle est caractérisée par une croissance anormale des tissus et le développement de tumeurs bénignes dans le cerveau et dans d'autres organes comme la peau, les reins, les yeux, le cœur et les poumons. L'intensité de la symptomatologie est variable, les troubles pouvant aller de légers problèmes cutanés jusqu'à un retard mental sévère et à une épilepsie grave.

50 à 60 % des patients atteints de sclérose tubéreuse ont un retard mental et 80 % ont des crises d'épilepsie. L'épilepsie est toujours associée aux retards mentaux les plus lourds. Les études de génétique moléculaire ont identifié deux gènes de la sclérose tubéreuse, un sur le chromosome 9 et un sur le chromosome 16.

Les premiers symptômes de type autistique ont été décrits en premier lieu chez des patients atteints de sclérose tubéreuse et ceci avant même la description de Kanner. Ces premières observations signalaient des stéréotypies, un langage anormal ou absent, un retrait, et des anomalies des interactions sociales. De nombreux cas d'association de l'autisme et de la sclérose tubéreuse ont ensuite été décrits (8 à 14 % des autistes présentent une sclérose tubéreuse). Si les études sur la sclérose tubéreuse et le retard mental dans l'autisme sont relativement nombreuses, peu de travaux ont porté sur les personnes porteuses d'une sclérose tubéreuse sans retard mental. Certains de ces patients ne présentent aucune pathologie psychiatrique, alors que d'autres peuvent répondre aux critères du syndrome d'Asperger, ou d'autisme atypique. Les données actuelles permettent d'avancer l'existence d'un risque accru de symptômes de type autistique ou de désordres anxieux chez les personnes ayant une sclérose tubéreuse sans retard mental.

Le syndrome de Williams

Ce syndrome touche environ un individu sur vingt mille. Il est causé le plus souvent par une délétion sur l'un des chromosomes 7. Les personnes atteintes de ce syndrome ont un profil cognitif particulier, une hyperacousie, des problèmes cardio-vasculaires, une hypercalcémie et des traits faciaux spécifiques (visage d'elfe). Les relations entre l'autisme et le syndrome de Williams n'ont pas été vraiment clarifiées malgré la publication de cas d'association. Les enfants porteurs du syndrome de Williams et de l'autisme ont souvent un profil de points forts et de points faibles opposé et des problèmes de comportement différents.

Les enfants avec autisme ont peu d'habiletés verbales, alors que dans le syndrome de Williams on retrouve souvent un bon langage expressif et un niveau de fonctionnement linguistique correct. Les enfants atteints du syndrome de Williams atteignent généralement un bon niveau syntaxique et sémantique, ils peuvent raconter des histoires en utilisant une prosodie marquée par les émotions. Ils peuvent s'appuyer sur des phrases stéréotypées, issues du langage des adultes. Les enfants avec autisme ont des aptitudes bien développées dans le domaine perceptif. Ce secteur est plus déficitaire dans le syndrome de Williams. Beaucoup d'enfants avec le syndrome de Williams ont des difficultés dans le traitement de l'information visuelle. Cependant, ce type de capacité peut être préservé dans ce champ même de déficit. Ainsi, les personnes avec syndrome de Williams ont une bonne perception des visages et de bons scores dans les tâches de reconnaissance. Elles regardent souvent de manière intense le visage des autres qu'ils soient familiers ou étrangers. Les personnes atteintes du syndrome de Williams sont décrites comme étant plaisantes, amicales, affectueuses. Elles s'engagent dans la relation sociale. Bien qu'elles soient sociables, elles ont souvent du mal à établir des amitiés. Elles présentent aussi de l'impulsivité, de la distractibilité et de l'anxiété. Il existe des préoccupations pour les événements à venir et pour ce qui est imprévu. Les pleurs, les craintes et les plaintes somatiques sont fréquents.

Bien que ce tableau n'évoque pas vraiment l'autisme, certaines des caractéristiques de ce syndrome sont considérées comme étant proche de ce que l'on observe dans l'autisme. Il en est ainsi des préoccupations obsessionnelles, de la persévération, des difficultés de relation avec les pairs de même âge, des balancements et des comportements répétitifs.

Le syndrome de Down

Il est connu depuis plus longtemps que les autres. Son étude est facilitée par sa prévalence élevée, sa détection dès la naissance et sa relative homogénéité sur le plan génétique. C'est la cause la plus fréquente de retard mental.

Peu de cas d'association avec le syndrome autistique ont été notés (1 à 2,2 %). Le taux d'autres maladies psychiatriques chez les personnes atteintes du syndrome de Down est faible. On note chez l'enfant une possibilité de troubles de l'attention, d'hyperactivité, d'opposition et d'anxiété. L'adulte peut être plus particulièrement vulnérable à la dépression et à la maladie d'Alzheimer.

Les personnes atteintes de ce syndrome sont généralement décrites comme faciles à vivre, affectueuses et placides. Des études plus récentes ont cependant remis en question cette image. Les mères décrivent des traits de personnalité très variables. S'il est vrai que certains enfants sont placides et agréables, certains se montrent plus actifs, plus distractibles et ont un tempérament plus difficile. Bien que l'autisme soit rare dans le contexte du syndrome de Down, son diagnostic doit être considéré comme une possibilité.

Autres pathologies : syndromes de Prader-Willi, d'Angelman

D'autres pathologies peuvent être associées à l'autisme ou au moins partager certaines de ses caractéristiques. Le syndrome de Prader-Willi en est un exemple. L'une des caractéristiques essentielles de ce désordre est l'hypotonie sévère qui se manifeste dès la naissance. L'hyperphagie sous-tendue par une obsession pour la nourriture apparaît ensuite dans les premières années de vie. Elle se trouve associée à une recherche compulsionnelle de nourriture et à des comportements impulsifs de consommation qui aboutissent à une obésité dont les conséquences peuvent être graves. D'autres traits sont caractéristiques de cette affection. La carrure est massive et, les caractéristiques sexuelles sont peu développées. Le développement cognitif est légèrement retardé et entraîne des difficultés d'apprentissage. Enfin, l'entourage est souvent confronté à des difficultés de comportement. Certaines des caractéristiques du syndrome de Prader-Willi se retrouvent aussi dans l'autisme : on observe un retard de langage, et un retard du développement psychomoteur, des problèmes d'alimentation dans la petite enfance, des troubles du sommeil, des stéréotypies de grattage au niveau de la peau, des crises de colère et une sensibilité à la douleur amoindrie. Cette affection touche environ une personne sur dix mille. L'origine génétique de ce syndrome a été trouvée avec une délétion sur le chromosome 15 qui semble être liée au côté paternel.

Le syndrome d'Angelman est un autre exemple de pathologie dont une partie des troubles recoupe la symptomatologie de l'autisme. Il s'agit là aussi d'une affection d'origine génétique avec une délétion au niveau du chromosome 15, transmise du côté maternel. Les enfants atteints du syndrome d'Angelman présentent des stéréotypies manuelles (battements des mains), des signes d'auto agression (ils se mordent ou se tirent les cheveux), une absence de langage ou un langage peu développé, des problèmes d'attention avec une hyperactivité, des problèmes de sommeil et d'alimentation, un retard du développement psychomoteur et une déficience intellectuelle sévère dans la majorité des cas. Sur le plan des comportements sociaux, ce sont par contre des enfants ouverts et sociables, qui recherchent le contact et rient beaucoup. Une épilepsie est souvent décelée. Des mouvements anormaux, associés à une démarche raide sont aussi observés. Certaines caractéristiques physiques peuvent orienter vers ce diagnostic. Le visage est particulier avec une bouche large dont la lèvre supérieure est fine et le plus souvent figée dans une mimique souriante. Les yeux sont enfoncés. Il existe aussi très souvent une faible pigmentation de la peau, des cheveux et des yeux.

Ces différentes pathologies dont le tableau est bien décrit et dont l'étiologie est maintenant connue ont souvent été confondues avec l'autisme par le passé. Elles sont maintenant présentées comme des maladies associées, partageant certaines caractéristiques de l'autisme, mais s'en distinguant aussi par certains aspects. L'existence de ces symptomatologies autistiques associées à des maladies identifiées souligne la participation neurobiologique forte aux signes comportementaux de l'autisme et nous montre bien que les syndromes autistiques sont multiples. Les signes regroupés encore à l'heure actuelle dans une seule catégorie correspondent à une situation provisoire qui préfigure probablement l'éclatement à venir de l'autisme en différents sous-groupes d'étiologie différente.

FACTEURS DE RISQUE DANS L'AUTISME

À côté de ces maladies dont la possible association avec l'autisme a été signalée, différents facteurs augmentant le risque d'apparition de l'autisme ont été répertoriés. Les principaux facteurs de risque sont les facteurs obstétricaux, les désordres du métabolisme et les facteurs immunologiques.

Facteurs obstétricaux et postnataux

Les complications durant la grossesse et à l'accouchement sont fréquentes. Les risques obstétricaux les plus fréquemment rapportés sont l'élévation de l'âge de la mère, la prématurité et la postmaturité, les saignements durant la grossesse, une souillure du méconium durant l'accouchement.

Dans les études de jumeaux, les paires non concordantes présentent des différences significatives au niveau de la périnatalité, l'enfant atteint d'autisme ayant le plus souvent souffert de complications. Indépendamment de l'étude des jumeaux, les données issues de l'anamnèse des enfants autistes confirment la fréquence très élevée de complications obstétricales et périnatales. Bien que ces éléments fassent couramment partie de l'histoire des patients autistes, il reste difficile d'établir clairement une relation de cause à effet entre ces complications périnatales et l'étiologie de l'autisme. On a cependant émis l'hypothèse que ces facteurs seraient à l'origine de lésions cérébrales pouvant entraîner l'autisme chez les enfants manifestant des signes de cette pathologie dès la naissance. Pour les formes d'apparition plus tardive, c'est-à-dire qui suivent une période d'évolution apparemment normale, des facteurs infectieux ou traumatiques seraient à l'origine des problèmes de développement cérébral. Cependant, ni la liaison entre ces différents facteurs, ni leur rôle spécifique dans l'étiologie de l'autisme n'ont encore pu être établis. La question de l'impact réel des complications obstétricales et périnatales reste donc ouverte. Notamment, on ignore encore si ces anomalies peuvent à elles seules être responsables d'un état autistique chez un enfant auparavant totalement indemne, ou si elles ne font que révéler un terrain déterminé génétiquement (Tsai, 1987).

Troubles du métabolisme

Différentes anomalies du métabolisme sont associées à l'autisme. L'interprétation de ces phénomènes reste délicate car l'effet de perturbations métaboliques peut être lent ce qui diffère l'apparition de l'expression clinique. Par ailleurs, les retards mentaux sont souvent très sévères dans les maladies métaboliques et dans ces conditions, le diagnostic d'autisme peut être difficile à établir.

Les maladies métaboliques le plus souvent citées pour leur association avec l'autisme sont la phénylcétonurie, l'homocystinurie, le syndrome de Lesch-Nyhan.

D'autres maladies métaboliques peuvent être associées à l'autisme. Il paraît donc important de faire un dépistage des maladies métaboliques chez tous les enfants présentant un retard sévère du développement. La relation de ces maladies avec l'autisme reste à approfondir.

Les facteurs immunologiques

Différents facteurs immunologiques pourraient aussi être impliqués dans l'autisme (Tsai, 1992).

Une proportion peu élevée, mais apparemment significative d'infections pré et postnatales a été signalée. Les maladies infectieuses les plus couramment citées sont la rubéole, les infections à cytomégalovirus, l'herpès, le VIH. Les résultats des études faisant état d'infections congénitales comme la rubéole doivent être considérés avec prudence. Il semble en effet que les cas répertoriés dans ce cadre aient souvent présenté des signes cliniques non spécifiques de l'autisme. Par ailleurs, lors des études portant sur l'évolution, ces enfants présentaient par la suite une symptomatologie moins marquée. L'aspect saisonnier des naissances a également été examiné. Dans ce cadre, quelques éléments en faveur d'infections virales maternelles ont été signalés.

L'intérêt pour les relations entre le système immunitaire et l'autisme est lié à différents cas dans lesquels des infections et des réponses immunitaires modifiées étaient associées à l'autisme.

Les investigations menées à différents niveaux du système immunitaire (immunoglobulines, anticorps) ont révélé des anomalies mais celles-ci ne sont pas retrouvées chez tous les patients et elles sont trop diverses pour que l'on puisse envisager une participation éventuelle à l'étiologie de l'autisme.

NEUROBIOLOGIE DE L'AUTISME

Données de l'électrophysiologie

Dans le domaine de l'électrophysiologie, les données recueillies sont à l'origine de deux grandes hypothèses sur le niveau auquel se situerait l'anomalie. Suivant les recherches, c'est l'idée d'une altération des fonctions corticales ou d'un dysfonctionnement du tronc cérébral et des structures diencéphaliques qui a été soutenue.

Des modifications des potentiels évoqués corticaux ont été enregistrées avec notamment une réduction des ondes P300 et Nc qui représentent des composantes tardives de la réponse et qui seraient liées à l'intervention de facteurs cognitifs. À l'EEG, des anomalies hémisphériques bilatérales ont été observées. Lorsque l'EEG est enregistré durant une activité spécifique, le tracé reflète des anomalies de l'asymétrie fonctionnelle au niveau hémisphérique. L'étude des potentiels évoqués auditifs (PEA) a généralement mis en évidence un défaut de maturation, les PEA étant irréguliers, variables, et de petite amplitude. Leur mode d'apparition suggère des problèmes d'intégration des informations émanant des modalités auditives et visuelles. Certaines données viennent donc étayer l'hypothèse d'une perturbation de la latéralisation cérébrale. Les anomalies du comportement et surtout du langage pourraient alors être rattachées à l'absence de dominance gauche pour le traitement des informations auditives. D'autres éléments ne confirment pas cette hypothèse d'un défaut de latéralisation hémisphérique. Cependant, il est possible que l'asymétrie cérébrale qui sous-tend le langage s'appuie en fait sur des processus de niveau inférieur, c'est-à-dire prenant effet dès le tronc cérébral.

Au niveau du tronc cérébral, les réponses vestibulaires comme les réponses du système nerveux autonome permettent de distinguer les autistes de la population normale. Enfin, un allongement des temps de transmission de l'influx nerveux a parfois été signalé mais cette donnée n'est pas retrouvée de manière constante.

En fait, toutes ces données montrent que des perturbations existent à la fois au niveau cortical et à l'étage sous-cortical. Elles ne permettent pas encore d'élaborer un modèle cohérent, intégrant tous les aspects du fonctionnement autistique qui émerge vraisemblablement de l'interaction de dysfonctionnements complexes et associant les niveaux corticaux et sous-corticaux.

Aspects génétiques

Une série d'arguments plaide en faveur d'une contribution importante de facteurs génétiques à l'étiologie de l'autisme. Les études familiales ont montré que le risque de récurrence de l'autisme chez les frères et sœurs pouvait être estimé à environ 3 à 5 %, ce qui est très supérieur à la prévalence de l'autisme dans la population générale. Les études de jumeaux suggèrent aussi la forte implication de facteurs génétiques. Dans la première étude réalisée sur vingt et une paires de jumeaux, une concordance de 36 % a été trouvée chez les monozygotes alors qu'aucune des paires de jumeaux dizygotes n'était concordante. Lorsque ce sont les troubles cognitifs importants qui sont pris en considération, 82 % de concordance est retrouvée chez les monozygotes contre 10 % chez les dizygotes. Ce qui est hérité dépasse donc le cadre strict de l'autisme et représente un ensemble de distorsions cognitives susceptibles d'aboutir à diverses formes d'inadaptation. À partir de cette donnée, l'autisme a été considéré comme appartenant à un continuum de troubles cognitifs et d'anomalies du langage, certains désordres du langage ou des apprentissages représentant une forme mineure de cette catégorie de troubles. Cette hypothèse a été confirmée par le suivi des jumeaux des paires monozygotes non concordantes (vrais jumeaux dont un seul est atteint) qui a révélé que parvenus à l'âge adulte, les jumeaux non atteints présentaient des déficits sociaux importants, ce qui confirmait le fait que la dimension héritée était autant sociale que cognitive. L'équipe de RITVO a quant à elle étudié quarante paires de jumeaux (23 monozygotes et 17 dizygotes). Dans ce groupe, une concordance de 96 % a été trouvée chez les monozygotes pour 24 % chez les dizygotes. Cette étude a suscité de nombreuses critiques au niveau de la méthodologie, le chiffre relativement élevé de concordance dans les paires de dizygotes ayant été mis sur le compte d'un biais de recrutement. Toutes les études ultérieures ont retrouvé une concordance élevée chez les monozygotes et une absence de concordance chez les dizygotes.

Le problème de l'incidence familiale de formes atténuées du syndrome, déjà posé lors de l'étude initiale de Folstein, reste d'actualité. Des études familiales se dégagent en effet la notion d'un phénotype élargi qui comporterait des anomalies cognitives et sociales, des désordres de la communication, des comportements obsessifs-compulsifs, des troubles de l'humeur et de l'anxiété, ainsi que des centres d'intérêt limités chez des individus d'intelligence normale. Il se retrouverait chez 12 à 20 % des apparentés du premier degré et seulement un sur dix des jumeaux monozygotes n'en présenterait pas les caractéristiques. La composante génétique se retrouve également dans l'association possible de maladies génétiques et d'anomalies chromosomiques avec l'autisme. Des syndromes neurocutanés (sclérose tubéreuse de Bourneville, neurofibromatose de Von Recklinghausen) ont été décrits ainsi que des maladies métaboliques (phénylcétonurie, mucopolysacharidoses) et des anomalies chromosomiques comme l'X fragile qui apparaît plus fréquemment chez les autistes que dans la population générale.

Ces différentes données plaident en faveur d'une contribution génétique. Le mode de transmission reste encore inconnu mais les résultats actuellement disponibles suggèrent fortement l'implication de plusieurs gènes et permettent d'éliminer l'hypothèse d'un mode de transmission mendélien.

Les pathologies associées pourraient orienter les recherches vers la localisation de gènes liés à l'autisme. La stratégie utilisée est alors celle des gènes candidats. D'autres travaux s'orientent vers l'étude des familles dont plusieurs enfants sont atteints, la stratégie pour repérer les sites de susceptibilité à l'autisme étant ici la recherche d'une similitude accrue des marqueurs.

L'une et l'autre de ces stratégies permettent actuellement d'avancer dans la recherche des facteurs de susceptibilité génétique, même si l'on est encore loin de l'identification précise des gènes impliqués dans l'autisme.

Criblage du génome

Les deux enfants atteints partagent les mêmes gènes de susceptibilité à la maladie. En se servant de marqueurs, on cherche donc à définir les zones le plus souvent partagées par les deux personnes atteintes.

Quatre groupes utilisant cette méthode ont publié leurs résultats (IMGSAC, 1998 ; Philippe *et al.*, 1998 ; Risch *et al.*, 1999 ; Barrett *et al.*, 2000). Dans les premières publications, aucune région ne paraissait plus particulièrement impliquée. On notait cependant une concordance entre les études pour une zone sur le bras long du chromosome 7. D'autres zones sur le bras long du chromosome 2, 13, 18 et le bras court du 16 et du 19. Dans deux études sur les quatre, une zone est spécifiquement liée à l'autisme : bras court du chromosome 1 pour Risch *et al.* (1999) et Bras long du chromosome 6 pour Philippe *et al.* (1999).

À ce stade, les zones signalées étant assez étendues, il n'est pas encore possible de localiser des gènes qui seraient spécifiquement liés à l'autisme. Cependant, la confirmation des zones concernées permettra rapidement de focaliser les investigations. C'est ainsi que le Consortium international de génétique moléculaire de l'autisme (IMGSAC) a publié en 2001 des résultats permettant d'identifier

deux nouvelles régions sur les chromosomes 2 et 17 qui pourraient
abriter des gènes impliqués dans l'autisme. Ces résultats confirment
aussi l'intérêt pour les zones préalablement identifiées sur les chromosomes 7 et 16.

Gènes candidats

Il s'agit ici de tester l'association plus fréquente d'un gène avec la
maladie concernée. Pour effectuer le choix des gènes candidats, on
s'appuie sur les connaissances préalables de désordres repérés dans
l'autisme (anomalies biologiques et biochimiques).

De nombreuses études d'association ont été réalisées et publiées.
Certaines ont donné lieu à des réplications, d'autres pas. Le résultat
retrouvé par deux équipes ayant travaillé indépendamment concerne
un polymorphisme du gène H-ras associé à un sous-groupe
d'autisme (Hérault *et al.*, 1993 ; Comings *et al.*, 1996).

Ces études sont pour le moment encore exploratoires. Il sera
important dans l'avenir de travailler sur de plus grands groupes
pour confirmer les premiers résultats. Par ailleurs, il sera important aussi de rechercher les effets fonctionnels des gènes associés
pour comprendre à quel niveau du développement intervient leur
effet pathogène. Les résultats récents montrant l'altération des
gènes NLGN3 et NLGN4 dans des familles dont deux membres
sont atteints vont dans ce sens (Jamain *et al.*, 2003). Ces gènes
détermineraient en effet un défaut dans la formation des synapses
qui constituerait une prédisposition à l'autisme. Ces gènes se
situent dans des régions du chromosome X qui avaient été associées à
l'autisme dans d'autres études.

Aspects neurologiques

De nombreuses pathologies de type neurologique sont associées
à l'autisme.

Même lorsque les désordres neurologiques ne sont pas clairement identifiables dans l'enfance, 25 % des autistes développent
une épilepsie à l'adolescence ou à l'âge adulte, et certains patients
déclarés initialement exempts de troubles neurologiques développent par la suite des pathologies organiques. En dehors même de
ces pathologies clairement établies, une grande majorité de signes
cliniques propres à l'autisme permet d'évoquer des dysfonctionnements cérébraux.

Avant le développement des techniques d'imagerie, les études *post mortem*, limitées en nombre pour des raisons évidentes d'éthique et de faisabilité avaient donné des résultats variables. En premier lieu avait été constaté un poids généralement élevé de la masse cérébrale, ce qui correspond aux données concernant le périmètre crânien supérieur à la moyenne. L'existence d'anomalies structurales a été confirmée dans plusieurs séries de patients. Les anomalies décelées touchent plus particulièrement le système limbique, le cervelet et les connexions complexes existant à ce niveau. Elles permettent de situer la perturbation du développement cellulaire dans les trente premières semaines de gestation. L'anatomie pathologique est maintenant relayée par les techniques d'imagerie dont certaines permettent, en plus d'une localisation, d'aborder l'examen des structures cérébrales de manière dynamique. Les premières observations réalisées par la pneumo-encéphalographie gazeuse et le scanner (dilatation ventriculaire, élargissement de la corne temporale gauche) avaient conduit à privilégier l'hypothèse d'une pathologie de l'hémisphère gauche. Les troubles du langage étaient alors considérés comme étant à la base du syndrome autistique. On a par la suite retenu l'asymétrie des ventricules et de certaines zones hémisphériques comme étant la caractéristique essentielle de l'autisme sur le plan radiologique. Ces données ont été relativisées car les patients examinés présentaient pour la plupart, des pathologies associées qui pouvaient rendre compte des particularités observées. En effet, lorsque de nouvelles études furent réalisées sur des groupes plus homogènes de patients présentant un syndrome autistique sans troubles associés, ces anomalies n'ont pas été aussi systématiquement retrouvées. Elles ont pourtant été encore signalées de temps à autre, et l'on peut considérer que l'élargissement des ventricules latéraux est présent dans un petit sous-groupe de patients, sans que l'on puisse toutefois établir de corrélation avec le degré de sévérité de l'autisme.

L'imagerie par résonance magnétique (IRM) a permis de retrouver l'augmentation du volume cérébral déjà signalée dans les études *post mortem*. Cette technique a aussi confirmé les premières observations sur l'hypoplasie du cervelet. Cependant, il semble que cette particularité n'est pas spécifique de l'autisme et qu'elle se rencontre dans de nombreuses pathologies et plus particulièrement dans les déficiences mentales. Des études plus récentes réalisées chez de très jeunes enfants, ont montré que le tronc cérébral, le vermis cérébelleux dans sa globalité et tous leurs composants étaient plus petits chez les enfants autistes comparés à un groupe contrôle, ces anomalies étant présentes dès l'apparition des premiers signes d'autisme. Cette différence se maintient dans le temps. La même technique a permis d'étudier d'autres zones cérébrales sans que des liens directs ne puissent être établis fermement entre l'anomalie éventuellement constatée et l'autisme.

Le développement de l'imagerie fonctionnelle a permis de dépasser la simple localisation et d'appréhender sur un mode dynamique toute une série de processus reflétant l'activité cérébrale. Les investigations menées avec cette technique sont peu nombreuses en raison des risques liés aux radiations qui en limitent l'utilisation notamment chez l'enfant. Les premiers travaux sur l'imagerie fonctionnelle au repos n'avaient pas permis de repérer d'anomalie localisée spécifique de l'autisme. Avec le raffinement des techniques, une diminution du débit sanguin cérébral a été décelée au niveau des deux lobes temporaux sur une population d'enfants atteints d'autisme (Zilbovicius *et al.*, 2000 ; Ohnishi *et al.*, 2000). D'autres travaux ont souligné l'implication de ces régions cérébrales dans la perception d'éléments comme le regard et les expressions faciales (Allison *et al.*, 2000), ce qui pourrait constituer un argument en faveur d'un lien entre ces anomalies et les signes comportementaux présents dans l'autisme. Les recherches sur l'imagerie fonctionnelle dans une situation d'activation ont permis de montrer chez les enfants autistes un déficit d'activation de la région temporo-occipitale postérieure gauche en réponse à une stimulation auditive. Ceci tend à confirmer l'insuffisance du traitement de l'information auditive par l'hémisphère gauche chez ces enfants (Boddaert *et al.*, 2001). Les travaux de Francesca Happé (Happé *et al.*, 1996) ont révélé des différences dans les zones activées en réponse à une tâche cognitive mettant en jeu les fonctions de métareprésentation chez les sujets porteurs d'un syndrome d'Asperger comparés à des sujets ordinaires. Les recherches dans lesquelles la reconnaissance des états mentaux est sollicitée suggèrent un dysfonctionnement de l'amygdale chez les patients atteints d'autisme (Baron-Cohen *et al.*, 1999 ; Schultz *et al.*, 2000 ; Critchley *et al.*, 2000). Enfin, lorsque la tâche proposée consiste à reconnaître une figure dans un ensemble complexe, les patterns d'activation corticale sont différents chez les autistes chez qui les régions frontales ne sont pas activées contrairement à ce qui se passe chez les normaux. Par contre, chez les sujets autistes, les régions occipitales et temporales sont davantage activées, ce qui suggère qu'ils utilisent des stratégies particulières (Ring *et al.*, 1999).

Les recherches dans le domaine de l'anatomie pathologique et de l'imagerie ont permis d'accumuler des arguments en faveur d'un trouble du développement des structures cérébrales. Ces anomalies ont très certainement des répercussions au niveau du traitement des informations complexes. Leur nature et les systèmes qu'elles impliquent permettent d'évoquer leur participation aux difficultés constatées dans les domaines de l'interaction sociale, du langage et des apprentissages. Cependant, il reste encore difficile d'établir avec précision le type d'anomalie qui pourrait être spécifique de l'autisme.

Dans le domaine de l'électrophysiologie, les données recueillies sont à l'origine de deux grandes hypothèses sur le niveau auquel se situerait l'anomalie. Suivant les recherches, c'est l'idée d'une altération des fonctions corticales ou d'un dysfonctionnement du tronc cérébral et des structures diencéphaliques qui a été soutenue. Des modifications des potentiels évoqués corticaux ont été enregistrées avec notamment une réduction des ondes P300 et Nc qui représentent des composantes tardives de la réponse et qui seraient liées à l'intervention de facteurs cognitifs. À l'EEG, des anomalies hémisphériques bilatérales ont été observées. Lorsque l'EEG est enregistré durant une activité spécifique, le tracé reflète des anomalies de l'asymétrie fonctionnelle au niveau hémisphérique. L'étude des potentiels évoqués auditifs (PEA) a généralement mis en évidence un défaut de maturation, les PEA étant irréguliers, variables, et de petite amplitude. Leur mode d'apparition suggère des problèmes d'intégration des informations émanant des modalités auditives et visuelles. Certaines données viennent donc étayer l'hypothèse d'une perturbation de la latéralisation cérébrale. Les anomalies du comportement et surtout du langage pourraient alors être rattachées à l'absence de dominance gauche pour le traitement des informations auditives. D'autres éléments ne confirment pas cette hypothèse d'un défaut de latéralisation hémisphérique. Cependant, il est possible que l'asymétrie cérébrale qui sous-tend le langage s'appuie en fait sur des processus de niveau inférieur, c'est-à-dire prenant effet dès le tronc cérébral.

Au niveau du tronc cérébral, les réponses vestibulaires comme les réponses du système nerveux autonome permettent de distinguer les autistes de la population normale. Enfin, un allongement des temps de transmission de l'influx nerveux a parfois été signalé mais cette donnée n'est pas retrouvée de manière constante.

En fait, toutes ces données montrent que des perturbations existent à la fois au niveau cortical et à l'étage sous-cortical. Elles ne permettent pas encore d'élaborer un modèle cohérent, intégrant tous les aspects du fonctionnement autistique qui émerge vraisemblablement de l'interaction de dysfonctionnements complexes et associant les niveaux corticaux et sous-corticaux.

Aspects biochimiques

Plusieurs types de désordres au niveau des neuromédiateurs ont été rapportés dans l'autisme.

La sérotonine

Ce sont les études sur la sérotonine qui ont donné les résultats les plus constants. La sérotonine ou 5-Hydroxytryptamine (5-HT) présente une élévation dans le sang chez 30 à 50 % des patients autistes.

Le mécanisme exact qui sous-tend ce déséquilibre n'a pas été cerné. Cependant, on connaît l'implication de ce neuromédiateur dans les émotions, la régulation de l'humeur et dans l'anxiété. On sait également que la sérotonine intervient dans le développement du système nerveux central.

L'identification de cette anomalie a conduit à des essais thérapeutiques avec la fenfluramine, produit susceptible d'entraîner la diminution du taux de sérotonine. Des bénéfices ont effectivement été enregistrés mais ils ne concernent pas tous les sujets et sont de toute façon peu stables.

La dopamine

La dopamine est probablement impliquée aussi dans l'autisme car les substances qui bloquent les récepteurs à la dopamine diminuent certains symptômes comme les stéréotypies ou d'autres signes moteurs alors que les produits qui stimulent les mêmes récepteurs entraînent une aggravation à ce niveau. Cependant les dosages des métabolites dans le liquide céphalorachidien ou les mesures périphériques dans le plasma ou dans les urines ne donnent pas de résultats constants.

L'épinéphrine et la norépinéphrine

Les études sur l'épinéphrine et la norépinéphrine ne sont pas concluantes, les résultats étant contradictoires avec une élévation du taux dans certains cas, une diminution dans d'autres et parfois même une absence de différence significative par rapport à la normale.

Les peptides

Les peptides qui peuvent jouer le rôle de neurotransmetteurs ont suscité l'intérêt en raison de l'action opioïde de certains d'entre eux. Les observations sur l'animal ont montré que certains comportements induits par les opiacés ressemblaient à des symptômes autistiques ce qui a conduit à l'utilisation d'antagonistes des opiacés comme la naltrexone pour réduire les automutilations graves. Mais là encore, les quelques résultats obtenus sont en contradiction les uns avec les autres.

PARTIE 2

COMPRENDRE

Chapitre 5

ASPECTS COGNITIFS DU FONCTIONNEMENT AUTISTIQUE

Les particularités cognitives observées dans l'autisme déterminent la manière d'appréhender l'environnement physique et social. Ces particularités doivent être prises en compte pour comprendre le fonctionnement des personnes atteintes d'autisme, mettre en place des aides spécifiques adaptées, et ainsi leur permettre de développer leur potentiel.

Les particularités de traitement de l'information peuvent être responsables des difficultés rencontrées à tous les niveaux, qu'il s'agisse de l'adaptation à l'environnement physique ou de l'ajustement à un contexte social. Les problèmes liés au déficit intellectuel, aux anomalies de développement du langage et aux anomalies d'intégration des informations conditionnent les réponses de la personne autiste et entravent ses possibilités d'apprentissage et d'adaptation.

AUTISME ET NIVEAU INTELLECTUEL

La déficience intellectuelle est fréquemment associée à l'autisme. 75 % des enfants atteints d'autisme présentent une déficience et les quotients intellectuels se répartissent en majorité entre 35 et 50. La notion de déficit intellectuel doit donc être prise en compte car ce problème touche une majorité des personnes concernées par l'autisme. Cependant, tous les comportements observés dans l'autisme sont loin d'être réductibles à la faiblesse du niveau intellectuel.

Indépendamment du retard, le développement cognitif des personnes autistes présente en effet des particularités. Le profil des aptitudes est généralement hétérogène. Les premières études psychométriques avaient montré que le QI verbal était significativement inférieur au QI de performance. Cependant, avec l'accumulation des données, ce point de vue a été nuancé car cette règle s'applique surtout aux niveaux les plus bas.

L'analyse des profils de compétence fait apparaître des points faibles et des points forts avec des îlots de compétence qui peuvent être très discordants par rapport aux autres aspects du fonctionnement. La capacité à discriminer des stimuli est généralement correcte lorsqu'il s'agit d'un matériel concret. Par contre, l'utilisation d'un matériel symbolique fait chuter la capacité de discrimination. La mémoire des stimuli simples est préservée. La restitution d'éléments appris par cœur comme des séries de chiffres ou des combinaisons de mots varie en fonction du niveau de développement Lorsque le niveau est contrôlé, la mémoire auditive et visuelle des enfants porteurs d'autisme n'est pas différente de celle des enfants d'âge mental et chronologique appariés. Par ailleurs, les personnes autistes ayant un bon niveau intellectuel accèdent à des stratégies de mémorisation impliquant les aspects sémantiques et syntaxiques du langage. Cette donnée vient contredire les premiers travaux d'Hermelin et O'Connor (1970) qui portaient sur la mémorisation et le rappel en fonction du type de matériel (voir plus bas les problèmes de traitement des informations).

Les capacités spatiales et perceptives sont généralement bonnes. Chez certains autistes, elles peuvent s'exprimer dans des performances exceptionnelles au niveau du dessin par exemple. Les épreuves faisant intervenir la mémoire « par cœur », nécessitant une restitution très fidèle des informations sont également bien réussies. Des difficultés sont enregistrées dans les tâches impliquant l'abstraction et la compréhension verbale, la compréhension non verbale, l'agencement de séquences temporelles, le codage de l'information. Néanmoins, ce type de profil n'est pas constant. Il a notamment été souligné qu'il ne se retrouvait pas forcément chez les autistes de haut niveau qui ne présentent pas de différence significative dans les scores aux différents subtests lorsqu'ils sont comparés à des personnes de niveau intellectuel équivalent.

Les études sur le fonctionnement cognitif des personnes avec autisme permettent de dire que la déficience mentale n'explique pas toutes les difficultés de compréhension et d'adaptation. Les désordres du départ induisent des distorsions dans le traitement des informations et conduisent à la mise en place de stratégies singulières qui ont un impact sur le développement des compétences et donc sur les apprentissages.

AUTISME ET LANGAGE

Les problèmes de langage chez les personnes autistes vont de l'absence de développement d'un langage fonctionnel (50 % des personnes restent non verbales) au développement d'un langage fonctionnel mais d'un usage idiosyncrasique. Le langage apparaît parfois à la fin de la première année pour disparaître ensuite. Dans ce cas, l'expression orale peut se manifester à nouveau ou pas dans le développement ultérieur. La précocité de l'installation d'un langage est un facteur favorable car les enfants qui présentent des éléments de langage à deux ans ont un meilleur pronostic que les autres (Rogers et DiLalla, 1990).

Même si les anomalies du langage sont véritablement au cœur des troubles autistiques, le problème de communication est plus global car tous ses aspects, qu'ils soient verbaux ou non verbaux sont touchés.

Lorsque le langage se développe, il comporte des particularités qui permettent de distinguer les enfants atteints d'autisme des enfants porteurs de troubles spécifiques du langage. La compréhension est limitée et reste généralement plus pauvre que ce que ne perçoit l'entourage. Les personnes proches sont en effet habituées à fournir sans le savoir des indices contextuels qui facilitent beaucoup la compréhension, surtout dans le cadre d'activités routinières qui se répètent souvent et deviennent donc prévisibles et associées à certains mots ou à certaines expressions. Par ailleurs, la compréhension est littérale. L'enfant ne saisit pas les informations qui doivent être inférées et qui sont présentées indirectement. Les métaphores ne sont pas comprises spontanément.

Le problème de compréhension peut être masqué par un langage expressif d'un niveau relativement bon mais qui reste généralement peu adapté aux situations sociales.

En ce qui concerne le langage expressif, la personne autiste montre peu d'intérêt pour la communication, sauf pour exprimer ses propres besoins ou ses intérêts particuliers. Dans ce cadre, un vocabulaire important peut être développé, le sujet étant capable de mémoriser les termes qui se rattachent à son intérêt. Des moyens idiosyncrasiques et non conventionnels peuvent se développer lorsque la personne ne dispose pas d'outils de communication plus adaptés. Elle peut alors se manifester par des troubles du comportement, des automutilations, ou de l'écholalie itérative. L'écholalie immédiate fait partie du développement du langage de la personne autiste et marque le fait que la fonction de communication du langage n'est pas véritablement comprise. Des expressions, des morceaux de phrases peuvent aussi être restituées sans rapport avec le contexte. Des comptines, des chansons, des slogans publicitaires sont mémorisés et répétés. La plupart des enfants qui accèdent au langage passent par une période d'écholalie où ils répètent ce que dit l'autre au lieu de se placer dans la complémentarité de l'interaction. À ce stade de développement, les réponses aux questions sont difficiles et ce type d'échange devra faire l'objet d'un apprentissage systématique là où les autres enfants intègrent la situation spontanément. Prizant et coll. (Prizant et Duchan, 1981 ; Prizant et Rydell, 1984) ont montré que l'écholalie pouvait avoir différentes fonctions (demande, protestation, affirmation, déclaration, appel, récit, autorégulation). Ainsi, l'écholalie peut-elle être vue comme un effort pour communiquer et non seulement comme une production déviante. Elle représente une sorte d'émergence de communication sur laquelle peuvent s'appuyer les efforts pour développer chez l'enfant une communication fonctionnelle.

Les éléments de langage qui changent de signification (pronoms personnels comme « je » et « tu » ; ou des prépositions « dans », « sur », « au-dessus ») sont difficilement utilisés de manière adaptée. L'usage peut en être correct dans des situations précises (par exemple dans des expressions toutes faites) mais pas dans un contexte plus large. Le ton et l'intonation peuvent être étranges, mécaniques.

Les habiletés interactives sont pauvres et la personne ne peut pas participer normalement à une conversation. Elle peut acquérir des structures de langage adéquates, et ainsi réussir relativement bien dans certains tests de langage, alors qu'en situation sociale les compétences langagières ne sont pas utilisées correctement. Par ailleurs, le langage est concret et il présente peu de flexibilité. Lorsque l'humour est présent, il se limite à des calembours et jeux de mots assez lourds. Le tour de rôle et l'utilisation de signes tels que le hochement de tête ou d'autres communications non verbales sont absents ou perturbés. C'est donc le niveau pragmatique qui est le plus atteint dans l'autisme. C'est en effet l'usage approprié du langage dans le contexte social de la communication qui fait problème, même chez les personnes ayant développé un bon niveau d'expression verbale.

Tous ces éléments reflètent les déviances cognitives et sociales. De nombreuses études ont montré que les anomalies du jeu symbolique et de l'imitation sont liées au niveau de langage, ce qui indique que les problèmes de communication sont plus liés à des problèmes d'interaction et de cognition sociale qu'à de véritables problèmes d'organisation du langage. Le peu d'utilisation spontanée des signaux de communication, qu'il s'agisse de langage ou de gestes, est effectivement central dans l'autisme. Par contre, il a aussi été montré que les personnes autistes ne manquaient pas d'intention de communication mais qu'elles présentent plutôt des limitations dans l'usage de ces signaux à des fins de communication sociale. Les personnes autistes ont des difficultés à utiliser ou à suivre les indications pour l'établissement d'une attention conjointe, que ce soit dans une situation concrète (montrer quelque chose pour partager l'intérêt) ou dans une situation plus abstraite (bavarder, échanger des informations pour le plaisir d'être ensemble). C'est finalement la situation de partage social qui est problématique et les formes de communication spontanée concernent plutôt des situations de demande relatives aux besoins propres, aux intérêts ou à la recherche d'aide. La personne autiste a du mal à comprendre le point de vue de l'autre. Même des personnes de bon niveau avec des capacités grammaticales élevées gardent des difficultés à suivre les règles sociales de la conversation. Aussi, plutôt que de voir ces personnes comme non communicatives ou non interactives, il vaut mieux penser que les limitations dans la communication résultent des difficultés à acquérir les intentions communicatives de nature sociale et les moyens conventionnels de communication.

AUTISME ET TRAITEMENT DE L'INFORMATION

Plusieurs hypothèses concernant le traitement spécifique de l'information chez les personnes autistes ont été envisagées.

Problème de saisie de l'information

L'intégration des informations sensorielles est perturbée dans l'autisme. C'est ainsi que vision, audition, toucher, et probablement les autres sens comme l'odorat et le goût sont atteints.

Les signaux en provenance de ces canaux peuvent être atténués, exagérés, fluctuer d'un moment à l'autre, être enregistrés après un délai. Ces distorsions, ainsi que le défaut de liaison entre ces informations donnent un caractère incohérent à l'environnement et contribuent à le rendre imprévisible et angoissant. Ces troubles conditionnent la manière dont l'enfant se comporte. Certaines réactions d'évitement, de peur ou au contraire d'intérêt exclusif sont liées aux anomalies dans le domaine perceptif. Les apprentissages peuvent également être difficiles ou faussés du fait des perturbations dans la gestion des informations sensorielles.

Les études sur les perturbations sensorielles sont nombreuses en raison de cette omniprésence des anomalies et de leurs répercussions sur l'adaptation. Certains modèles de l'autisme ont d'ailleurs placé cette symptomatologie sensorielle au cœur du syndrome en en faisant un trouble primaire qui sous-tendrait l'autisme et pas seulement un trouble associé.

Dans un premier temps, et compte tenu des nombreuses anomalies des comportements sensoriels, le problème a été situé au niveau de la saisie de l'information. Les travaux d'Hermelin et O'Connor (1970) s'articulaient autour de l'hypothèse d'un déficit de l'encodage sémantique de l'information. Les expériences qui sous-tendaient ce point de vue, portaient sur la mémorisation et le rappel en fonction du type de matériel. Normalement, quand des mots sont organisés en phrases pourvues de sens, le rappel est plus facile que lorsque les mots sont présentés en désordre. Ces auteurs avaient montré que les performances dans le domaine du rappel d'une information verbale ne sont pas améliorées chez les autistes par l'organisation des mots, ce qui suggérait que les données sont stockées sous forme brute et qu'elles ne font pas l'objet d'une organisation en fonction du sens. Mais des travaux ultérieurs ont montré que le niveau de développement influence fortement la capacité à tenir compte de la structure des phrases (Fyffe et Prior, 1978). Le déficit évoqué au niveau du matériel verbal par Hermelin et O'Connor (1970) semble donc ne pas être spécifique et il constitue plutôt l'indice de la déficience intellectuelle.

D'autres recherches ont souligné le fait que le déficit pouvait toucher la saisie d'autres informations et qu'il ne se limitait pas qu'au langage. D'une manière générale, les autistes utilisent directement une information sans la recoder, ils adoptent des processus de traitement qui restent spécifiques de la modalité sensorielle dans laquelle l'information a été saisie et ils font moins facilement appel à un fonctionnement de plus haut niveau utilisant les codes. Le matériel intégré est ainsi plus facilement restitué en écho car il n'est pas organisé en fonction d'une structure plus élaborée selon un processus habituel qui permet d'attribuer un sens à l'information. Cette notion se retrouve dans les habiletés spécifiques développées dans les tâches incluant une dimension perceptive. Ici, la restitution de l'information se fait avec une fidélité qui montre que c'est avant tout une mémoire des données brutes qui intervient au détriment de processus impliquant l'élaboration au travers d'une interprétation de l'information. Certaines capacités de reproduction quasi photographique par le dessin, de restitution très exacte des mélodies, de mémorisation les calendriers et l'hyperlexie illustrent bien ce mode de fonctionnement.

Une autre piste d'interprétation du fonctionnement intellectuel des autistes s'est développée en liaison avec les anomalies sensorielles constatées chez eux. Dans un premier temps, l'hypothèse de dysfonctionnements sensoriels au niveau des récepteurs entraînant une sensibilité anormale aux stimulations a été évoquée. Ces anomalies permettraient de rendre compte des réactions inappropriées aux informations sensorielles et des stéréotypies qui engendrent des stimulations. Dans les premiers travaux dans le domaine sensoriel on considérait donc que l'enfant autiste était incapable de donner du sens à l'environnement parce qu'il ne recevait pas correctement les informations. Certains auteurs ont retenu l'hypothèse de modalités sensorielles privilégiées comme le toucher, le goût, et l'odorat chez les autistes (Goldfarb, 1956, 1961 ; Schopler, 1965, 1966), ce qui aurait des répercussions sur les modes d'exploration et de communication. Cette hypothèse n'a pas été confirmée.

Pour d'autres auteurs (Lovaas *et al.*, 1971), c'est la sursélectivité du stimulus qui conduit l'enfant à ne répondre qu'à un type d'information parmi d'autres, d'où son intérêt bizarre pour des éléments non pertinents et son indifférence par rapport à des aspects de l'environnement qui intéressent généralement les enfants normaux.

Cependant, cette sursélectivité ne peut expliquer à elle seule les anomalies de comportement rencontrées dans l'autisme. Par ailleurs, elle n'est pas spécifique à l'autisme et s'avère plutôt liée au déficit intellectuel. Ornitz et Ritvo (1968) ont pour leur part orienté leur réflexion vers l'hypothèse de fluctuations perceptives. Des travaux antérieurs (Hutt *et al.*, 1964) avaient suggéré que l'enfant autiste aurait un état chronique d'éveil trop important et que les comportements stéréotypés et le retrait auraient pour fonction de diminuer la vigilance. Ornitz et Ritvo ont repris cette idée en la modifiant toutefois pour avancer l'idée que l'existence de fluctuations entre des états d'hyper et d'hypovigilance engendrerait une difficulté à moduler les entrées sensorielles, ce qui donnerait à l'expérience sensorielle un caractère très instable. De plus, l'enfant éprouverait de la difficulté à coordonner les entrées sensorielles avec la réalisation motrice et à maintenir un niveau optimal d'éveil et de focalisation de l'attention. Le problème serait lié suivant les auteurs à un dysfonctionnement vestibulaire ou à des anomalies de fonctionnement du système limbique et du système cérébelleux.

Problème d'intégration des informations

Ces premières hypothèses privilégiant le niveau de la saisie de l'information ont permis d'explorer de manière plus approfondie les comportements bizarres des autistes, mais toutes les expériences menées dans ce contexte correspondent surtout au fonctionnement des autistes jeunes ou des autistes très déficitaires. Les hypothèses avancées ne permettent pas de rendre compte du comportement rencontré chez les autistes ayant de meilleures capacités intellectuelles. De plus, le problème de la perturbation des réponses aux stimulations ne se pose pas véritablement en termes de déficit sensoriel proprement dit. Les hypothèses s'adressant à des niveaux plus élevés de traitement et d'intégration de l'information semblent plus pertinentes. Hermelin et O'Connor (1971) ont montré par exemple dans le domaine de la perception visuelle que les autistes n'adoptent pas les mêmes règles d'exploration. Ils regardent plus l'arrière-plan, ont un temps de fixation plus bref, et ces caractéristiques sont relativement indépendantes du type de stimulation. Vraisemblablement, il existe donc des différences fonctionnelles dans l'utilisation du regard, et ces particularités pourraient être liées à des dysfonctionnements de plus haut niveau, c'est-à-dire qu'elles impliqueraient des facteurs sociaux et cognitifs.

Trouble de la cohérence centrale

Les anomalies d'intégration de l'information perceptive dans le domaine visuel ont été les plus étudiées mais des particularités se retrouvent également dans les autres modalités sensorielles. Uta Frith a émis l'hypothèse que dans l'autisme, la faiblesse de la cohérence centrale pouvait rendre compte de difficultés d'intégration fonctionnelle de l'information. Cette théorie repose sur divers résultats expérimentaux confirmant l'approche fragmentée de l'information au détriment d'une intégration globale de celle-ci et donc du sens. Elle fait également référence au fait que bien que le fonctionnement perceptif et cognitif global ne soit généralement pas atteint dans l'autisme, la perception de la signification est toujours problématique.

Il paraît clair, quelle que soit l'explication théorique avancée, que les autistes ne présentent pas de déficit sensoriel mais retiennent plutôt des traits différents de leur environnement. Ils s'appuient sur des processus d'exploration différents et manifestent ainsi des formes particulières d'attention. En situation sociale, les modes de saisie de l'information sans recodage limitent considérablement la capacité d'interprétation des situations et l'adaptation au contexte. Ainsi, la perception des stimuli sociaux est-elle plus pauvre que ce qui serait attendu compte tenu des capacités perceptives au niveau des caractéristiques physiques de l'environnement. Ceci est probablement lié au fait que les informations sociales ont un caractère hautement implicite et appellent des capacités d'inférence qui sont peu présentes dans le cas de l'autisme. Il paraît très probable aussi que le dysfonctionnement cognitif qui parasite le traitement de l'information interfère avec la capacité d'inférer l'état mental des autres.

Déficit de la théorie de l'esprit

Cette idée d'un trouble spécifique au niveau de la construction d'une théorie de l'esprit a pris corps à partir d'un modèle de développement dans lequel les interactions sociales sont fortement influencées par les capacités de représentation des états mentaux (Baron-Cohen *et al.*, 1985). Avoir une théorie de l'esprit c'est être capable d'attribuer des états mentaux indépendants aux autres et à soi-même pour expliquer et prédire le comportement. L'individu ne peut ajuster son comportement qu'en accédant à la représentation de ce que son partenaire sait, pense, ressent ou croit. Ces hypothèses que construit implicitement le sujet dès lors qu'il est engagé dans un échange social constituent la théorie de l'esprit. C'est vers 4 ans que l'enfant intègre la notion de fausse croyance et se montre capable d'en tenir compte dans son raisonnement. Il comprend que les personnes ont des croyances et des désirs à propos de leur environnement et que ce sont ces états mentaux plutôt que le monde physique qui déterminent leurs comportements. Les études comparant des enfants normaux, retardés et autistes placés devant une tâche dans laquelle il faut envisager le point de vue de l'autre et tenir compte de ce qu'il croit ont confirmé que les autistes présentent un déficit de la théorie de l'esprit. Cette anomalie est indépendante du niveau de fonctionnement intellectuel qui a été contrôlé.

Cette hypothèse d'un déficit de la théorie de l'esprit est issue des observations sur l'absence de jeu de faire semblant chez les enfants autistes (Leslie, 1987). Cet auteur a montré que le jeu de faire semblant suppose l'aptitude à manier la représentation, mais aussi la métareprésentation. Si la mère montre une banane en disant « oh ! regarde le téléphone », l'enfant doit se représenter le téléphone mais il doit aussi comprendre que la mère « fait comme si » avec la banane. Cet accès à la métareprésentation est également indispensable pour comprendre que les autres ont des pensées, des intentions, des croyances, des souhaits.

Leslie a émis l'hypothèse que ces différents aspects de la métareprésentation sont déficitaires chez les enfants autistes, ce qui leur rend la compréhension des états mentaux difficile et permet d'expliquer leur handicap social. Étant incapables de « lire dans l'esprit » des autres, ils ne peuvent comprendre correctement leur comportement.

Baron-Cohen *et al.* (1985) ont testé pour la première fois l'hypothèse d'un déficit de la théorie de l'esprit chez les enfants autistes en utilisant l'épreuve maintenant classique de Sally et Ann. Deux poupées, Sally et Ann, sont présentées à l'enfant. Sally a un panier et Ann a une boîte. L'enfant regarde pendant que Sally dépose sa bille dans le panier avant de partir. Pendant qu'elle est dehors, Ann prend la bille et la met dans sa boîte avant de sortir. Sally revient et on demande à l'enfant où Sally va chercher sa bille. Dans cette étude réalisée sur 20 enfants autistes ayant un âge mental bien supérieur à 4 ans, 80 % des enfants (16/20) n'ont pas compris la fausse croyance de Sally. Au lieu de dire qu'elle irait chercher la bille là où elle l'avait déposée (dans le panier) puisqu'elle n'a pas pu observer Ann en train de la changer de place, ils ont déclaré qu'elle irait chercher l'objet là où il se trouve effectivement (dans la boîte). Par contre, 86 % d'enfants présentant un syndrome de Down donc porteurs d'une déficience intellectuelle ont fourni la bonne réponse, montrant par là qu'ils avaient compris la fausse croyance de Sally. De même les enfants normaux de 4 ans ont très bien compris la situation.

Cette première étude a confirmé que les enfants atteints d'autisme ne comprennent pas qu'il existe des états mentaux distincts de la réalité concrète et distincts de leurs propres connaissances. Utah Frith (1989) a fait le lien entre ce déficit de la théorie de l'esprit et les difficultés sociales rencontrées dans l'autisme. Le même type d'étude a ensuite été réalisé avec d'autres tâches comme celle des Smarties. On montre à l'enfant une boîte de bonbons (Smarties) et on demande ce qu'il y a dedans. Tous les enfants répondent : « des Smarties ». On leur montre alors que la boîte contient en fait un crayon. Le crayon est replacé dans la boîte et on demande à l'enfant de prédire la réponse de l'enfant suivant (qui n'a pas observé la manipulation). 80 % des enfants autistes donnent une mauvaise réponse, c'est-à-dire qu'ils ne peuvent considérer le point de vue de l'enfant naïf qui croit que la boîte contient des bonbons, alors que les enfants normaux de quatre ans maîtrisent cette tâche (Perner *et al.*, 1989).

À partir des recherches initiales de Baron-Cohen, Leslie et Frith (1985), une série de travaux a ensuite permis de préciser plus finement à quel type d'informations détenues par leur interlocuteur les enfants autistes pouvaient être sensibles (Frith, 1989 ; Baron-Cohen, 1993*a* et *b*) : ils se montrent capables de comprendre le désir, la perception et les émotions simples. Par contre, ils ne comprennent pas les croyances, ce que l'autre sait, les émotions liées à la cognition, et les relations entre le fait de voir et le fait de savoir. Ils semblent saisir que les situations et les désirs peuvent causer des émotions, mais ils ne comprennent pas qu'une croyance puisse être à la base d'émotions.

Ces données sur le déficit de la théorie de l'esprit sont à relativiser car un certain nombre de personnes atteintes d'autisme réussissent les tâches de théorie de l'esprit. Ce sont généralement des personnes ayant un bon niveau intellectuel mais qui restent en difficulté au niveau social dans la vie quotidienne. Cet élément

pourrait fragiliser l'hypothèse d'un désordre spécifique de la théorie de l'esprit dans l'autisme qui sous-tendrait les déficits sociaux.
Mais la capacité à réussir les épreuves de théorie de l'esprit sans
pouvoir s'ajuster parfaitement sur le plan social pourrait aussi ren-
voyer à une difficulté d'application des compétences ou à un problème pour recourir aux systèmes de représentation de niveau
supérieur, plus qu'à un simple déficit de mentalisation (Boucher
1989 ; Bowler 1992).

Le défaut d'accès à la métareprésentation et à la compréhension des états mentaux, s'il a été confirmé par de nombreux
travaux, n'est donc pas constant et pas aussi marqué chez toutes
les personnes atteintes. De plus, l'hypothèse de ce déficit spécifique à l'autisme n'explique pas tous les aspects de la symptomatologie. Par exemple, la résistance au changement, les stéréotypies
et les automutilations ne trouvent pas d'explication dans ce cadre
théorique.

Trouble des fonctions exécutives

Une autre approche du problème du traitement de l'information
dans l'autisme situe la difficulté au niveau de la régulation et des
fonctions exécutives. Les dysfonctionnements au niveau des fonctions exécutives sous-tendraient certaines anomalies du traitement
de l'information et donc du comportement social et non social. Les
fonctions exécutives recouvrent un ensemble de capacités dépendant de fonctions supérieures qui permettent de contrôler l'action, et
spécialement l'adaptation de l'action dans un contexte nouveau et
donc la flexibilité. La planification et le contrôle du comportement,
le changement de comportement, l'inhibition d'actions automati-
ques et le fait de garder des informations dans la mémoire de travail
durant l'exécution d'une tâche font partie des fonctions exécutives.
Les anomalies de ces fonctions exécutives reflètent des dysfonctionnements du système frontal et peuvent expliquer par exemple les
comportements répétitifs. Alors que les anomalies des fonctions
exécutives peuvent être fréquentes dans un grand nombre de désordres du développement, les déficits dans le changement de comportement et dans la planification semblent caractéristiques de
l'autisme et pourraient donc être à l'origine de certains problèmes
d'adaptation.

Ce sont les travaux de Rogers et Pennington qui ont attiré
l'attention sur le rôle que pouvaient jouer les fonctions exécutives

dans les anomalies observées dans l'autisme (Rogers et Pennington, 1991). Certaines particularités des personnes atteintes d'autisme comme les difficultés d'abstraction, la tendance à la persévération, l'hypersélectivité dans le traitement de l'information, permettent en effet d'évoquer l'implication du fonctionnement exécutif. La plupart des études sur les problèmes de fonction exécutive dans l'autisme ont été menées à l'aide de tests neuropsychologiques comme le Wisconsin et la tour de Hanoï qui permettent d'évaluer la planification, la pensée abstraite, l'inhibition de réponses courantes et la flexibilité cognitive. Ces études ont généralement été menées chez des sujets avec autisme mais ayant un bon niveau intellectuel. Elles ont montré que chez les autistes de bon niveau comme chez les personnes présentant un syndrome d'Asperger les résultats à ces tests sont moins bons que chez des sujets témoins (Ozonoff et Pennington, 1991 ; Szatmari *et al.*, 1990). D'autres travaux ont cherché à préciser les conditions dans lesquelles les difficultés se révélaient le plus. Ciesielski et Harris (1997) ont ainsi montré que dans les situations où les règles sont peu précises, les problèmes sont plus perceptibles quel que soit le niveau intellectuel. Les performances sont améliorées lorsque la règle sous-tendant la réponse est très spécifique. Par ailleurs, Minshew et ses collaborateurs (Minshew, *et al.*, 1992 ; Minshew *et al.*, 1997) ont montré que les tests de fonctionnement exécutif n'étaient pas échoués chez toutes les personnes autistes mais que par contre, les tests faisant appel à des tâches de mémoire complexe ou à des stratégies linguistiques de résolution de problème étaient moins bien réussis que chez les sujets du groupe contrôle. Les problèmes de fonctionnement exécutif ne sont donc pas systématiques, bien qu'ils soient fréquents et ce sont surtout des difficultés de traitement des informations complexes qui sont constantes.

Enfin, les fonctions exécutives comportent différents aspects comme la mémoire de travail, l'inhibition de la réponse, la flexibilité, qui peuvent être atteints à des degrés divers dans l'autisme (Rogers et Bennetto, 2000).

Le débat reste ouvert concernant la relation de cause à effet possible entre de telles anomalies et les handicaps sociaux. La discussion se poursuit également en ce qui concerne la primauté des problèmes au niveau du traitement de l'information, du fonctionnement exécutif ou de la théorie de l'esprit. Il n'a pas été clairement démontré que le déficit des fonctions exécutives était réellement spécifique à l'autisme. Par ailleurs, les recherches menées sur les jeunes enfants ne sont pas vraiment concluantes et il est donc difficile d'affirmer que les anomalies du fonctionnement exécutif pourraient être à l'origine des perturbations sociales si elles ne les précèdent pas dans le développement. Enfin, la relation entre les anomalies enregistrées aux tests en situation standardisée et les problèmes d'adaptation dans la vie quotidienne n'est pas non plus fermement établie.

Par contre, des liens ont été trouvés entre différentes compétences comme l'attention conjointe, la théorie de l'esprit et les fonctions exécutives qui sont fréquemment perturbées dans l'autisme. L'attention conjointe est considérée comme l'un des précurseurs de la théorie de l'esprit et les performances dans les tâches faisant appel aux fonctions exécutives et à la théorie de l'esprit de premier ou de second ordre sont bien corrélées dans la plupart des études. Il a été suggéré que les difficultés au niveau de la théorie de l'esprit pouvaient être liées à un aspect particulier des fonctions exécutives qui est la capacité à désengager l'attention par rapport à un stimulus prégnant. Les études sur l'imagerie cérébrale ont aussi permis de montrer que les tâches de théorie de l'esprit entraînaient une activation au niveau des lobes frontaux (Baron-Cohen *et al.*, 1994).

Les liens entre ces différents aspects de l'adaptation existent donc mais demandent à être davantage explorés. Si les hypothèses d'une perturbation de la théorie de l'esprit ou d'un trouble des fonctions exécutives ont représenté des étapes très importantes dans la compréhension du fonctionnement cognitif et social des personnes autistes, elles ne permettent pas de rendre compte de tous les phénomènes. En particulier, ces modèles expliquent surtout les déficits, mais ils n'aident pas à comprendre pourquoi les autistes peuvent avoir des compétences préservées, voire supérieures à la moyenne dans certains secteurs. La théorie de la cohérence centrale débouche sur l'idée d'un style cognitif particulier, plutôt que sur la notion de déficits cognitifs, et pourrait rendre compte des particularités des apprentissages réalisés dans l'autisme.

Aucune des théories avancées jusqu'à présent ne permet donc d'expliquer de manière exhaustive le fonctionnement des personnes autistes et leur mode d'adaptation. Chacune apporte un éclairage sur l'un des aspects du fonctionnement mais ne peut être généralisée à l'ensemble des particularités observées dans les troubles envahissants du développement.

AUTISME ET RÉALISATION MOTRICE

Sur le plan clinique, tous les cas de figure peuvent se rencontrer dans le domaine de la motricité. Certains enfants porteurs d'autisme présentent des capacités exceptionnelles au niveau de l'équilibre, de la motricité globale ou d'activités de motricité fine. Pour d'autres, les coordinations sont anormales et les performances pauvres. Des problèmes d'initiative, de latence des réponses sont également observés couramment. Les anomalies motrices étaient signalées dès la première description de Kanner.

Pour certains chercheurs, des déficits de base comme ceux qui se rencontrent au niveau de la motricité pourraient expliquer certaines difficultés spécifiques.

Ce sont les travaux de Damasio et Maurer (1978) qui ont soulevé la question de troubles neurologiques à l'origine de ces manifestations motrices. Ils ont montré que la symptomatologie motrice observée dans l'autisme évoque celle qui est rencontrée chez les patients présentant des lésions des lobes frontaux, des ganglions de la base et du thalamus. Les différentes études ont montré que le développement psychomoteur des enfants autistes présentait des particularités (Adrien *et al.*, 1993 ; Baranek, 1999). Ces anomalies peuvent être observées très précocement (Teiltelbaum *et al.*, 1998). La comparaison d'enfants autistes à d'autres populations montre une augmentation significative des dysfonctionnements neurologiques (Rapin, 1996 ; Jones et Prior, 1985). La posture a été étudiée par Kohen-Raz et ses collaborateurs (1992). Les enfants autistes présentaient des anomalies posturales plus importantes pour les postures simples que pour les postures plus complexes. Ils semblaient utiliser davantage des systèmes de contrôle postural primitifs localisés au niveau du cervelet que des systèmes de plus haut niveau d'intégration impliquant le contrôle vestibulaire par le biais des informations visuelles. Les difficultés persistent avec l'âge et sont bien corrélées avec la sévérité de l'autisme. Les travaux mesurant les performances motrices chez des adolescents et adultes de haut niveau à l'aide de tests neuropsychologiques ont abouti à des résultats variables. Dans certains cas, les troubles ne sont pas évidents (Cornish *et al.*, 1996). Par contre, dans des études plus sophistiquées sur le plan méthodologique, des profils particuliers sont relevés avec en particulier des difficultés au niveau des manipulations précises (Rumsey *et al.*, 1988 ; Minshew *et al.*, 1997). Smith et

Bryson (1998) ont aussi montré sur un groupe d'autistes comparé à des enfants présentant des troubles du langage que les performances dans les tâches de coordination manuelle étaient plus lentes et révélaient des problèmes d'imitation chez certains sujets. La comparaison d'enfants autistes et de sujets présentant un syndrome d'Asperger à l'aide de tests de développement moteur a montré que ces groupes ne se différenciaient pas entre eux mais qu'ils fonctionnaient tous à un niveau inférieur à celui de leur âge que ce soit au niveau de la motricité fine ou de la motricité globale (Ghaziuddin *et al.*, 1994). Les études rétrospectives sur les vidéos familiales ont aussi retrouvé des particularités motrices et des anomalies posturales (Adrien *et al.*, 1992 ; Baranek, 1999 ; Osterling et Dawson, 1994).

La littérature sur la motricité dans l'autisme a donc souligné régulièrement l'existence de retards et d'anomalies dans ce domaine. Ces travaux ont constitué la base sur laquelle s'est développée l'hypothèse de l'existence d'un problème de dyspraxie dans l'autisme. Cette difficulté a été rattachée aux fonctions exécutives (Hugues, 1996).

D'autres auteurs les ont aussi reliées aux déficits au niveau des comportements d'imitation (Jones et Prior, 1985 ; Rogers *et al.*, 1996 ; Benetto 1999). Les problèmes moteurs pourraient ainsi affecter le développement dans d'autres domaines et plus particulièrement celui des relations sociales (Rogers et Benetto, 2002).

Chapitre 6

ASPECTS ÉMOTIONNELS ET SOCIAUX

LE DÉVELOPPEMENT DU COMPORTEMENT SOCIAL

Rappel sur le développement normal

Le jeune enfant est capable d'interagir précocement avec les personnes de son entourage. Il est préparé à s'orienter vers les stimuli sociaux, à apprendre à partir des expériences sociales et à former des relations d'attachement avec les personnes qui s'occupent de lui.

L'orientation vers le partenaire social

Les enfants ont un intérêt précoce pour la voix et pour la face et plus particulièrement pour les yeux. Dans le premier mois ils n'explorent qu'une petite partie de la face et tendent à suivre les contours extérieurs (comme ils le font d'ailleurs pour les formes géométriques). Durant les premières semaines l'enfant peut reproduire les comportements observés chez les autres, comme par exemple tirer la langue (Meltzoff et Moore, 1977, 1992). L'imitation va contribuer au développement de la compréhension de soi et des autres car les enfants regardent un corps en mouvement en expérimentant de tels mouvements eux-mêmes. Par la suite, l'enfant va se focaliser de plus en plus sur le visage et sur les éléments intérieurs et plus particulièrement les yeux.

La sensibilité au mouvement et la sensibilité au visage puis l'ajustement aux émotions qu'il présente constituent le fondement de l'interaction sociale.

Les nouveaux-nés apprennent graduellement à distinguer les visages familiers des visages étrangers. Vers trois mois ils montrent une préférence pour une photo du visage maternel comparé à celui d'un étranger. Ils différencient aussi la mère par le goût et par l'odeur (Mac Farlan, 1975). Ainsi, ils s'orientent préférentiellement vers l'odeur maternelle par rapport à l'odeur d'une autre mère.

Dans les six premiers mois les enfants dont le développement est normal préfèrent les stimuli faciaux aux autres stimuli visuels et présentent des signes de détresse lorsqu'on leur présente un visage dans lequel il manque des éléments ou lorsque les différents éléments sont agencés d'une manière anormale. Ils soutiennent le contact visuel pour des durées de plus en plus longues et combinent le regard avec le sourire et les vocalisations. Les jeunes enfants sont ainsi captivés par l'interaction deux à deux et ils s'y engagent avec tout le monde, même s'ils marquent une préférence pour les visages familiers.

Le début du partage social

Après six mois, l'enfant ne se focalise plus seulement sur le visage de ses partenaires sociaux mais commence à s'intéresser aux objets extérieurs. Il a en particulier tendance à s'orienter vers les nouveaux objets et les nouvelles personnes quand il est avec des personnes familières et dans un environnement familier. Aux environs de neuf mois, l'enfant commence à se focaliser sur les objets et les personnes en même temps. Dans ce que l'on appelle interaction triadique ou comportements d'attention conjointe, les enfants essaient de partager leur expérience d'un objet ou d'un événement avec une autre personne. Ces comportements correspondent au fait de diriger le regard d'une personne vers un objet et de regarder à nouveau la personne (mouvement de va-et-vient entre l'objet et la personne). L'enfant développe à ce niveau la capacité à se servir du regard pour diriger l'attention d'autrui. De la même manière, l'enfant apprend à suivre et à produire des gestes de pointage et devient de plus en plus capable d'influencer l'attention des autres en utilisant en même temps le regard, le pointé, le geste de donner ou de montrer. De plus, lorsque l'enfant suit les marques d'attention des autres, il imite la manière dont les autres manipulent physiquement les objets. Des enfants âgés seulement de 9 mois peuvent imiter la forme et la fonction d'actions dirigées vers les objets après une démonstration de l'adulte. La précision croissante avec laquelle les enfants produisent des imitations immédiates ou différées de comportements nouveaux reflète l'attention plus grande, la coordination motrice meilleure et la conscience croissante de l'objectif de certains comportements spécifiques.

Aux environs de neuf mois, l'enfant commence aussi à gérer les émotions en fonction des autres personnes. Dans une étude où l'on a observé des enfants de 10 mois jouant avec des objets en présence d'un adulte qui s'intéressait à leur jeu et en présence d'un adulte qui ne faisait pas attention, a démontré que les enfants souriaient plus aux adultes qui s'occupaient d'eux dans cette situation. L'intérêt ou le plaisir à l'égard des objets n'était pas affecté par l'attitude de l'adulte.

À un an, les enfants qui se développent normalement sont discriminatifs dans leur expression émotionnelle. Comme les adultes, ils sourient quand ils partagent l'expérience, mais pas quand ils essaient d'obtenir un objet ou de l'aide. Dans la seconde année, les enfants continuent à affiner leur conscience de l'attention de l'autre, à rechercher les indices émotionnels et à s'en servir pour guider leur comportement.

L'intérêt de l'enfant pour les autres personnes constitue l'une des motivations pour apprendre à partager et à suivre le regard. Mais les enfants regardent aussi le visage de l'autre pour y trouver de l'information. L'enfant regarde le visage de l'adulte lorsqu'il est confronté à une situation ambiguë ou légèrement effrayante. Il regarde aussi le visage pour donner du sens à une information : par exemple, si l'adulte lui tend un objet et le reprend, l'enfant le regarde pour comprendre ses intentions. L'enfant répond aussi au message émotionnel : il a des réponses d'approche face à des affects positifs et des réponses de retrait face à des affects négatifs. Alors que l'enfant ne se réfère pas à l'adulte dans une situation familière ou clairement définie, il répond aux adultes qui expriment de fortes émotions quel que soit le degré de familiarité du contexte.

De nombreux comportements qui émergent vers l'âge de neuf mois et s'installent dans les trois premières années reposent ainsi sur la capacité de l'enfant à reconnaître le point de vue d'une autre personne et à en tenir compte. De tels comportements reflètent la compréhension de l'enfant du rôle d'agent joué par les personnes comparées à des objets inanimés. Les enfants n'essaient pas de regarder dans le sens où regarde leur poupée, ils ne s'en servent pas non plus comme référence. Comme Michael Tomasello l'a montré (Tomasello, 1995), la connaissance des intentions des autres donne la base de la participation à une culture donnée. L'apprentissage culturel comporte plus que de diriger son attention sur l'activité des autres. Elle implique d'essayer de voir une situation telle que les autres la voient, au travers de leur perspective. Dans tous les apprentissages culturels, les enfants intériorisent et s'approprient non pas seulement la connaissance d'une activité mais l'interaction sociale elle-même. Une partie de la perspective du partenaire de l'enfant continue à modeler la vision du monde par l'enfant longtemps après la fin de l'interaction.

L'expression émotionnelle et la réponse émotionnelle

Dès la naissance, les enfants présentent une gamme d'expressions émotionnelles et de réponses. Cette capacité semble être innée et universelle. La reconnaissance des émotions semble également être universelle. On observe un appariement de l'expression émotionnelle : l'enfant qui observe un visage triste, adopte aussi cette mimique (Field, 1985).

À 6 mois l'enfant différencie des émotions simples comme la joie, la tristesse, la peur et la colère. Si l'on montre une photo avec la même expression (la joie), l'enfant finit par se désintéresser. Quand on présente une autre émotion, il y a recrudescence de la réponse d'attention. Mais on ne peut pas dire si l'enfant différencie réellement l'expression émotionnelle ou si c'est la forme qui diffère (dents découvertes ou pas, bouche étirée ou pas, etc.) qui induit le retour de l'attention.

Les jeunes enfants répondent aussi à l'aspect vocal de l'expression. La voix porte une émotion au travers de l'intonation, l'intensité, le rythme, le volume. Les enfants très jeunes ont des réponses différentes en entendant une voix qui est joyeuse ou triste. Vers 7 mois, ils font la connexion entre la voix et l'expression faciale (on présente un film avec expression joyeuse et expression triste avec la voix qui est en accord ou pas : l'enfant regarde plus le visage dans la situation d'appariement).

Dans la seconde année, l'enfant commence à prendre conscience des conditions ou des actions qui provoquent des émotions telles que la joie, la tristesse, la colère, la peur. Plus tard, il comprend des émotions plus complexes telles que la fierté, la honte, la culpabilité ce qui suppose une plus grande compréhension des situations sociales et interpersonnelles. Reconnaître les émotions complexes signifie prendre en compte les intentions, la responsabilité et les normes sociales. Ces développements cruciaux dans la compréhension sociale sont liés au développement de l'empathie.

Dans la première année l'enfant réagit habituellement à un sourire par un sourire et à la détresse de quelqu'un par le calme ou les pleurs. Dans la deuxième année, quand il commence à identifier les conditions qui précèdent chaque émotion, il cherche aussi à soulager la détresse. Quand des enfants de deux ans sont confrontés à la détresse, ils cherchent de l'aide et offrent des objets ou font des commentaires chaleureux. Quand ils grandissent, ils deviennent capables d'adopter la perspective des autres et de partager leurs expériences émotionnelles.

Les relations sociales précoces

Dans la petite enfance se développe un ensemble restreint de relations privilégiées avec les personnes significatives de l'entourage. La constance et la sensibilité avec laquelle l'adulte répond à l'enfant déterminent la sécurité de l'enfant et fournissent un cadre à son développement. Ceci est variable avec l'âge : les enfants les plus jeunes lorsqu'ils sont en détresse ont besoin d'une réponse plus rapide, alors que plus tard il devient plus important de favoriser la séparation et l'autonomie. Il est également important de souligner le fait que les besoins de certains enfants sont plus faciles à décoder et à satisfaire que ceux d'autres enfants.

Les expériences initiales d'attachement forment la base d'un « *working model* » des relations, une sorte de référence, qui sert de loupe ou de filtre au travers lequel l'enfant perçoit ensuite les autres relations.

Développement social chez l'enfant autiste

Les enfants jeunes présentent donc très précocement une capacité à répondre aux autres et à interagir avec eux. L'enfant autiste est d'emblée en difficulté dans ce domaine où son développement est clairement déviant.

Si l'on compare le développement d'un enfant normal et celui d'un enfant autiste dans les trois à quatre premières années de vie, on peut constater à quel point certains comportements manquent au répertoire de l'enfant autiste ou sont déviants, ce qui pose le problème de l'influence de ces manques sur l'évolution ultérieure. On connaît peu de chose sur le développement social des enfants autistes avant trois à quatre ans. Seulement quelques études apportent un éclairage sur les réponses sociales d'enfants autistes très jeunes. Les vidéos réalisées avant que le diagnostic ne soit fait apportent de l'information de manière rétrospective. Bien que les différences ne soient pas très flagrantes, les enfants autistes s'engagent moins souvent dans l'interaction en face à face avec leurs parents et avec les autres enfants. Ils ont tendance aussi à moins suivre le geste de pointé et à se retourner à l'appel de leur nom. Toutes les observations montrent que les enfants autistes manifestent des réponses sociales aberrantes dans la deuxième année de vie. Il est difficile de savoir si les enfants de 3 et 6 mois manifestent la même qualité d'interaction dyadique que les enfants ordinaires. Il est probable qu'il existe des variations d'un enfant à l'autre. Par ailleurs, il n'est pas évident que tous les enfants présentent d'emblée des troubles importants de la relation interactive. En effet, pour certains enfants l'atteinte est visible très tôt et les comportements anormaux présents d'emblée. Par contre, d'autres enfants connaissent une période de développement durant laquelle les conduites sociales peuvent paraître normales.

Si l'orientation de l'attention et des comportements sociaux envers les personnes est particulière, il n'y a pas simplement absence de relations. En effet, même porteurs d'autisme, les enfants réagissent à une personne, se tournent vers elle, l'approchent, mais ces conduites sont moins fréquentes que chez les autres enfants. Elles sont plus brèves et moins intégrées dans un ensemble cohérent de signaux sociaux permettant le maintien de l'interaction. Le comportement des enfants autistes manque de réciprocité et d'engagement mutuel tels qu'ils s'observent chez les enfants ordinaires les plus jeunes. Quand de telles interactions dyadiques ont été observées en laboratoire avec des enfants de trois et quatre ans (faire rouler une balle ou chatouiller), la plupart des enfants autistes s'engageaient dans des comportements de jeu comme les autres enfants. Ils levaient les bras pour que l'on continue à les chatouiller, ils souriaient, riaient. Ils réagissaient ainsi à des sollicitations relativement structurées des adultes. Il a été montré que les capacités relationnelles des enfants autistes pouvaient s'améliorer avec le temps et qu'elles variaient avec le partenaire. En particulier, la relation avec un adulte qui soutient l'interaction, guide l'enfant, attire son attention, est souvent plus riche que ce qui est observé avec des enfants, car ceux-ci sont plus déroutés par la communication étrange, moins habiles pour maintenir le contact, et probablement moins motivés à poursuivre leurs efforts face à un enfant peu répondant ou qui répond sur un mode bizarre (Lord et Hopkins, 1986).

La plus grande difficulté réside dans le fait que les enfants autistes ont du mal à coordonner les différents aspects du comportement social. Par exemple, ils n'associent pas forcément le regard au fait de tendre un objet, ils utilisent le langage sans regarder l'interlocuteur, ou encore ils n'utilisent pas la bonne expression faciale dans un contexte donné. Il faut rappeler que tous ces comportements permettant l'association des différents signaux sociaux et affectifs constituant la base de l'interaction sont utilisés normalement chez les enfants de 7 à 9 mois.

Un autre écueil important pour les enfants autistes est l'accès au partage social. Les enfants autistes ont du mal à partager l'expérience sociale. Lorsqu'ils utilisent des gestes susceptibles d'attirer l'attention de l'adulte, ils le font rarement pour partager un intérêt (montrer une scène amusante, montrer un objet intéressant, montrer ce que l'on a fait). La plupart des enfants autistes présentent surtout des gestes de pointage pour demander quelque chose et satisfaire un besoin. Même dans cette situation, le comportement peut être incomplet et se limiter à une désignation de l'objet sans regard de contrôle vers l'adulte. Ici l'enfant est tendu vers l'objectif à atteindre, mais il se montre incapable d'utiliser son regard pour attirer l'attention de l'adulte vers la cible de son intérêt. Les enfants qui fonctionnent de la sorte peuvent aussi se servir du corps de l'autre pour atteindre l'objet ou pour l'actionner. La combinaison des signaux qui permettraient l'attention conjointe (regarder l'objet, regarder la personne et faire le va-et-vient entre les deux pour indiquer son intérêt et solliciter ainsi la médiation de l'adulte) n'est pas vraiment en place (Mundy et Sigman, 1989). La capacité à utiliser des gestes pour attirer l'attention d'autrui est liée à l'évolution du langage chez les autistes comme chez les enfants ordinaires, ce qui montre qu'il existe sans doute une relation entre ces deux types de compétence (Mundy et al., 1990).

Toutes les études réalisées dans ce domaine du partage social montrent qu'il existe des déficits spécifiques dans l'autisme. Les difficultés bien que liées au développement cognitif et au développement du langage ne s'expliquent pas uniquement par une déficience dans ces domaines. Toutes les formes d'échange social ne sont d'ailleurs pas touchées de la même manière. Les enfants autistes peuvent par exemple s'engager dans une interaction suscitée par l'adulte à partir d'un échange physique. Dans ces conditions, ils établissent le contact visuel et peuvent même solliciter l'adulte pour qu'il continue le jeu. Ils peuvent aussi provoquer et maintenir des routines sociales faisant intervenir le tour de rôle. Mais le contact social est ici encore orienté vers la recherche d'une satisfaction personnelle et non vers la recherche du plaisir partagé avec l'autre. Le lien subjectif avec l'expérience de l'autre n'entre pas véritablement en ligne de compte.

La perception et la coordination des émotions

Les autistes sont capables de faire des discriminations entre expressions faciales mais celles-ci sont moins fines que chez les enfants ordinaires (Snow *et al.*, 1987). Ils comprennent également moins bien les gestes de communication et cette difficulté, sensible dans l'enfance, persiste à l'âge adulte. Cependant, lorsque l'âge de développement est contrôlé, il apparaît que la différence entre des autistes et des déficients intellectuels de même niveau intellectuel et de niveau de langage équivalent est relativement peu importante. Par contre, des différences très nettes sont enregistrées au niveau des réponses d'orientation, des comportements d'attention aux signaux sociaux, des stratégies d'exploration et d'analyse des informations. Ainsi, les particularités de l'exploration du visage montrent que les autistes sont peu sensibles au sens global de l'expression émotionnelle et qu'ils portent parfois leur attention sur un élément peu pertinent de la situation. Ces caractéristiques peuvent interférer avec la capacité du sujet à intégrer les informations de la situation sociale (Weeks *et al.*, 1987 ; Hobson *et al.*, 1988 ; Ozonoff *et al.*, 1991).

En ce qui concerne l'expression, il existe des anomalies qui touchent les mimiques faciales, le regard, les gestes et les vocalisations. Le nombre d'expressions faciales spontanées est plus réduit que chez les enfants dont le développement est normal (Rumsey *et al.*, 1986), les expressions sont souvent mélangées de sorte qu'il peut être difficile pour un observateur de distinguer des émotions aussi opposées que la joie et la tristesse sur le visage d'un autiste. Les affects positifs sont plus rares et moins dirigés vers le partenaire (Snow *et al.*, 1987). Des sourires et rires partagés peuvent apparaître en situation sociale mais cela se limite plutôt à l'interaction avec des personnes familières. Lorsqu'il s'agit de mimer des expressions faciales, les expressions produites sont bizarres. La communication gestuelle comporte aussi des particularités. Comparés à des déficients mentaux et à des sujets normaux, les autistes utilisent significativement moins de gestes expressifs, c'est-à-dire porteurs d'émotion. Par contre, ils peuvent utiliser des gestes instrumentaux par lesquels le comportement d'autrui peut être modifié et régulé (Attwood *et al.*, 1988). Ils peuvent également utiliser les gestes de pointé mais seulement pour désigner un objet convoité. Comme nous l'avons déjà signalé plus haut, ils n'utilisent pas ce type de désignation pour attirer l'attention d'autrui vers un objet ou une scène dans le seul but de partager l'expérience. Le contact visuel est rare.

Dans la petite enfance, les vocalisations des autistes sont expressives mais idiosyncrasiques c'est-à-dire très particulières (Ricks, 1979). Les parents d'enfants autistes peuvent identifier une émotion transmise par les vocalisations de leur propre enfant. Ils reconnaissent aussi spécifiquement leur enfant par la voix. Par contre, ils ne reconnaissent pas l'émotion transmise par les vocalisations d'un autre autiste. Lorsqu'il s'agit d'enfants normaux ou retardés, les parents sont capables de reconnaître l'émotion mais pas l'identité de leur propre enfant. À un âge plus avancé, et chez les sujets ayant développé un langage, des troubles de la prosodie sont relevés. La voix est généralement monotone et bizarre. Il existe des troubles de l'accentuation, de l'inflexion et du rythme.

La communication non verbale des sujets autistes est donc perturbée tant au niveau réceptif qu'au niveau réceptif. Les affects exprimés le sont rarement en situation conjointe. Les signaux utilisés sont souvent mal coordonnés entre eux et les règles sociales sont mal intégrées.

L'attachement n'est pas absent chez les enfants autistes. Bien que l'on souligne souvent l'indifférence et le retrait chez ces enfants, les comportements d'attachement existent chez eux et se manifestent, même si c'est d'une manière particulière. Les enfants atteints d'autisme entrent plus souvent en interaction avec les personnes connues, ils présentent des réactions orientées vers leurs parents et ils peuvent présenter des réactions de détresse à la séparation, quoique ces réactions n'existent pas chez certains enfants (Sigman et Mundy, 1989 ; Sigman et Ungerer, 1984). Cependant, l'attachement se manifeste de manière atypique et la qualité des conduites est parfois inhabituelle (Rogers *et al.*, 1993). L'enfant peut ne pas présenter les comportements qui consistent à suivre les adultes, aller à leur rencontre, rechercher le réconfort auprès d'eux dans une situation trop nouvelle ou effrayante, et participer à des rituels du coucher incluant la participation sociale des parents. Dans ce domaine comme dans d'autres, les comportements déviants peuvent varier considérablement dans leur expression, allant de l'indifférence sociale à des réactions excessives d'agrippement. L'aspect particulier des conduites à l'égard des personnes traduit la difficulté à établir des liens socioaffectifs de qualité (Lord, 1993) car il y a de nombreux aspects par lesquels les autistes n'entrent pas bien en relation avec leurs parents. Ils ne recherchent pas toujours le confort auprès d'eux et parfois il est difficile de les consoler par les moyens normalement efficaces chez les autres enfants. Par ailleurs, les objets qui traditionnellement chez les jeunes enfants marquent le besoin de s'autosécuriser ne jouent pas ce rôle. L'enfant s'oriente plutôt vers des objets durs ou métalliques qui n'ont probablement pas la fonction d'objet transitionnel (Volkmar *et al.*, 1994).

L'imitation

Rogers et Pennington ont été les premiers à considérer que les problèmes d'imitation dans l'autisme pouvaient jouer un rôle essentiel dans le développement des anomalies sociales et des difficultés de communication. Dans leur revue des travaux effectués antérieurement sur l'imitation, ils ont montré que chez la plupart des personnes autistes existaient de gros problèmes à ce niveau (Rogers et Pennington, 1991).

Ces premiers travaux ont été répliqués et développés par la suite pour tenir compte des limites méthodologiques qui parfois rendaient les résultats discutables. La majorité des travaux confirme l'existence d'un trouble spécifique de l'imitation dans l'autisme. Chez les enfants les plus jeunes, la fréquence des comportements d'imitation est significativement plus faible (Charman *et al.*, 1997 ; Dawson *et al.*, 1999). Pour les enfants plus grands et les adultes l'imitation est perturbée au niveau de la production du mouvement (Loveland *et al.*, 1994 ; Rogers *et al.*, 1996 ; Smith et Bryson, 1998), ce qui a permis de soulever la question d'une éventuelle participation des fonctions motrices aux problèmes d'imitation. La dyspraxie serait ainsi le mécanisme responsable des difficultés d'imitation. L'étude de Stone et ses collaborateurs (1997) a montré que plusieurs types de capacités étaient impliqués dans les différentes formes d'imitation. La capacité d'imitation des mouvements du corps serait liée au développement du langage, alors que l'imitation avec des objets serait davantage corrélée avec le niveau des comportements ludiques. Dans la recherche de Rogers *et al.* (1996) une distinction est faite entre les imitations simples ou reposant sur l'enchaînement de séquences, les imitations faciales et enfin le mime. L'anomalie des comportements imitatifs est démontrée pour les gestes des mains simples et séquentiels et pour les mouvements séquentiels du visage. Les sujets autistes ont une meilleure performance dans les mouvements signifiants, c'est-à-dire symboliques, et leurs niveaux de réussite pour les imitations au niveau des mains et du visage sont significativement corrélés. Les personnes autistes réussissent moins bien que les sujets-contrôle le mime, qu'il soit simple ou séquentiel. Cela est en accord avec leurs difficultés au niveau du jeu symbolique et de l'imitation différée.

Récemment, cet ensemble de travaux qui vont plutôt dans le sens d'un déficit spécifique de l'autisme a été examiné d'un point de vue critique par Jacqueline Nadel (Nadel, 1998 ; Nadel *et al.*, 1999). D'après cette spécialiste du développement, les données sur l'imitation dans l'autisme ne permettent pas d'établir clairement l'existence d'un déficit de l'imitation qui serait spécifique. Les résultats des études sont en effet souvent contradictoires et cela s'expliquerait par la grande variabilité des conditions d'expérience, et l'absence de distinction entre différents types d'imitation, l'étude de Rogers et ses collaborateurs citée ci-dessus étant l'une des seules à échapper à cette dernière limite. Jacqueline Nadel a ainsi attiré l'attention sur la nécessité de distinguer clairement les formes d'imitation et leurs fonctions, et de tenir compte de l'âge développemental. Elle a aussi montré que même des enfants autistes de bas niveau avaient certaines capacités d'imitation et qu'ils réagissaient au fait d'être imités en orientant leur attention vers l'adulte et en présentant ensuite des conduites sociales témoignant de leur attente à l'égard de l'adulte (Nadel, 1999 ; Nadel *et al.*, 1999 ; Nadel, 2002 ; Escalona et coll., 2002 ; Field *et al.*, 2001). Elle a aussi étudié des enfants autistes en interaction avec des enfants non autistes déficients intellectuels et montré que l'imitation spontanée existait chez la majorité des enfants autistes observés. Les capacités d'imitation chez ces enfants constituaient un bon prédicteur des compétences sociales (Nadel *et al.*, 1999).

L'expérience sociale des enfants autistes est donc perturbée par un ensemble de difficultés dans la compréhension et dans l'expression émotionnelle. La coordination des affects, l'empathie, et l'intersubjectivité sont problématiques et il semble que cela repose sur un déficit initial dont Hobson (1993) avait considéré qu'il était au cœur de l'autisme et responsable de toutes les autres anomalies. D'autres modèles ont par contre placé la dimension relationnelle et émotionnelle dans la dépendance des troubles cognitifs qui empêcheraient le sujet d'accéder à la compréhension des états mentaux d'autrui (Baron-Cohen et coll., 1985 ; Leslie, 1987). Il reste difficile d'établir des liens de cause à effet et des enchaînements entre les perturbations rencontrées dans l'autisme. Car il s'agit d'un trouble complexe du développement dans lequel les difficultés initiales interagissent et entravent progressivement l'évolution parce qu'elles empêchent l'enfant de tirer partie des expériences qui devraient alimenter son développement cognitif et social.

PARTIE 3

RECONNAÎTRE L'AUTISME
ET L'ÉVALUER

Le diagnostic et l'évaluation constituent une étape décisive dans l'aide à apporter aux personnes atteintes d'autisme. Poser le diagnostic c'est identifier la pathologie et donc adopter la conduite à tenir qui en découle. En l'occurrence, reconnaître l'autisme c'est savoir que l'on a affaire à une perturbation du fonctionnement neuropsychologique, que des mesures aptes à soutenir l'enfant dans son développement sont indispensables, que l'aide à fournir n'est pas juste ponctuelle mais qu'elle devra se prolonger tout au long de la vie. Prendre conscience d'une telle réalité est terriblement douloureux pour les parents, mais les professionnels ne peuvent pas échapper à leurs responsabilités comme ce fut le cas à une certaine époque. Dans cette étape délicate, le professionnel se doit de préserver le parent qui reçoit l'information en le préparant, en tenant compte de son degré de réceptivité et de ses capacités pour faire face. En même temps qu'il délivre l'information, il apporte son soutien émotionnel et une aide très pragmatique concernant l'orientation et les services disponibles. Des qualités d'empathie, une bonne connaissance du trouble et des aides qui sont disponibles, ainsi qu'une capacité à assumer la difficulté dans le cadre d'une relation ouverte et honnête permettent de progresser vers une connaissance de la situation dans le respect de la personne qui en prend conscience et au rythme qui est le sien. Lorsque le cap difficile est franchi et qu'une information correcte est donnée dans le cadre d'une relation de qualité, le processus de reconstruction du projet de vie pour l'enfant et sa famille peut être amorcé et une nouvelle dynamique familiale peut se mettre en place pour assumer le présent et préparer l'avenir.

Chapitre 7

DIAGNOSTIC

Le diagnostic de l'autisme repose sur un ensemble de signes comportementaux et sur l'histoire du développement. Dans une première approche, le clinicien va donc recueillir les informations, le plus souvent à partir d'un entretien avec la famille et à partir de l'observation de l'enfant. Mais la confirmation du diagnostic est obtenue par des échelles standardisées qui permettent d'apprécier la nature et l'intensité des troubles et de déterminer avec précision à quelle catégorie diagnostique appartient l'enfant porteur d'un trouble du spectre autistique.

Plusieurs échelles standardisées peuvent être utilisées pour le diagnostic de l'autisme.

LA CARS – ÉCHELLE D'ÉVALUATION DE L'AUTISME INFANTILE

Élaborée par Eric Schopler et ses collaborateurs (Schopler *et al.*, 1980 ; Schopler *et al.*, 1988), elle a été traduite en français par la suite (traduction française Rogé : Schopler *et al.*, 1989). Il s'agit d'un outil d'abord conçu pour l'observation des enfants. Par la suite, la liste des rubriques qui le composent a servi aussi de grille d'entretien semi-structuré. Cette échelle peut être utilisée avec les enfants au-dessus de 24 mois. Le recueil de l'information se fait classiquement d'une double manière : entretien avec la famille et observation de l'enfant. Quatorze items ou rubriques permettent de faire une revue de toutes les anomalies du comportement dans le domaine des relations sociales, de l'imitation, des réponses émotionnelles, de l'utilisation du corps, de l'utilisation des objets, de l'adaptation au changement, des réponses visuelles, des réponses et modes d'exploration dans le domaine auditif, le goût, l'odorat et le toucher, des réponses de peur et d'anxiété, de la communication verbale, de la communication non verbale, du niveau d'activité, et du niveau intellectuel considéré surtout en termes d'homogénéité du fonctionnement intellectuel. À ces quatorze rubriques s'ajoute un item qui permet à l'examinateur de donner une impression générale. C'est donc un total de quinze items qui fait l'objet d'une cotation.

Chacun des quinze items repose sur une cotation de 1 à 4 points pour indiquer le degré de déviation du comportement de l'enfant par rapport à la norme de son âge. La dimension développementale est en effet très importante : tout comportement enregistré ou observé est comparé à ce qui est normalement attendu compte tenu de l'âge de l'enfant. L'aspect atypique du comportement, la fréquence et l'intensité des anomalies sont aussi pris en compte. Il existe sept notations possibles car des notes intermédiaires (1,5 ; 2,5 et 3,5) sont utilisables. Le total obtenu est rapporté à une échelle allant de 15 à 60 sur laquelle une note de 30 ou plus correspond à l'autisme. Cette échelle permet aussi d'introduire une graduation dans le degré d'autisme, un score de 30 à 36,5 correspondant à un degré d'autisme léger à moyen et un score de 37 et plus correspondant à un autisme sévère. Le CARS est largement reconnu et utilisé comme un instrument fiable pour le diagnostic de l'autisme. Son administration prend environ trente à quarante-cinq minutes. Le CARS est probablement l'instrument de diagnostic le plus utilisé en France. Il n'est cependant pas sans limites. Notamment, la dimension développementale dont nous avons dit qu'elle était importante pour apprécier la déviance des comportements n'est utilisée que pour une cotation des comportements actuels. Or il est important de prendre en compte l'évolution antérieure des troubles et cet aspect représente un élément crucial pour le diagnostic.

L'ADI-R – AUTISM DIAGNOSTIC INTERVIEW-REVISED

L'ADIR-R (Le Couteur *et al.*, 1989 ; Lord *et al.*, 1994) est un entretien semi-structuré qui est mené avec les parents. L'orientation de l'entretien repose sur des items définis au préalable et qui sont cotés en fonction de la description précise du comportement recherché, de son intensité, de son degré de déviance par rapport au développement ordinaire, et de sa fréquence. L'interviewer doit être capable d'évaluer en cours d'entretien si l'information dont il dispose est suffisante pour faire la cotation avant de poursuivre par d'autres questions. Cet entretien permet de rechercher les symptômes de l'autisme dans le domaine des relations sociales, de la communication et des comportements ritualisés et répétitifs. Il permet de faire un diagnostic de trouble du spectre autistique en référence au DSM-IV (APA, 1994) et à l'ICD-10 (Who, 1992, 1993). Cet entretien prend en compte les éléments du développement dans la petite enfance comme la présentation clinique actuelle. En ce qui concerne l'aspect rétrospectif, cet outil permet de rechercher les premières manifestations du trouble et leur évolution dans la petite enfance. Différentes stratégies comme les références à des événements de vie importants, des périodes remarquables dans l'année comme les fêtes, permettent de préciser la datation des différents comportements. La comparaison avec d'autres enfants de l'entourage facilite la description des manifestations et apporte des éléments d'appréciation sur l'intensité des troubles.

Des notes allant de 0 à 3 sont attribuées pour chaque item. Elles correspondent au degré de déviation par rapport au comportement normal. Un algorithme permet de retenir les items pertinents dans chaque domaine que sont les interactions sociales, la communication et les comportements, et d'élaborer des scores qui sont comparés aux seuils à atteindre pour le diagnostic de l'autisme. L'administration de l'ADI prend beaucoup de temps (deux à trois heures) et demande un entraînement et une validation spécifiques. De ce fait, il est moins utilisé en clinique que dans le domaine de la recherche.

L'ADOS-G – *AUTISM DIAGNOSTIC OBSERVATION SCHEDULE*

L'ADOS-G (Lord *et al.*, 1989, 1994, 2001) est une échelle d'observation pour le diagnostic de l'autisme. Il s'agit d'une observation dans des conditions semi-structurées. La personne à évaluer est sollicitée pour réaliser des activités qui ne constituent pas un but en soi. En effet, il ne s'agit pas d'évaluer des capacités cognitives mais plutôt de placer la personne dans une situation sociale où elle devra interagir. Les activités proposées permettent d'évaluer la communication, l'interaction sociale réciproque, le jeu et/ou l'utilisation imaginative d'un matériel, le comportement stéréotypé, les intérêts restreints et d'autres comportements anormaux chez des sujets avec autisme allant d'enfants d'âge préscolaire à des adultes verbaux. L'ADOS dans sa forme actuelle a été élaboré à partir d'une première version (Lord *et al.*, 1989) qui était conçue pour des enfants et des adultes ayant un niveau minimum de langage qui se situe à 3 ans et du PL-ADOS (DiLavore *et al.*, 1995) qui était une échelle d'observation prélinguistique conçue pour des enfants sans langage et avec un niveau très bas. Quelques items supplémentaires ont été ajoutés pour des adolescents et des adultes de haut niveau ayant un bon langage. L'échelle est organisée en quatre modules administrés chacun en 30 à 45 minutes. Chaque module possède son propre protocole avec des activités pour enfants ou pour adultes. Un seul module est administré à une période donnée et le choix se fait en fonction de l'âge chronologique et du niveau de langage expressif :

– le module 1 est destiné à des enfants non verbaux ou dont le niveau de langage ne dépasse pas celui de phrases rudimentaires ;

– le module 2 s'applique à des enfants accédant à un niveau de langage qui va des petites phrases de trois mots y compris des verbes, utilisées de manière régulière et spontanée, à des phrases dépassant le contexte immédiat et comportant des connexions logiques ;

– le module 3 est utilisé pour des enfants ou des adolescents qui utilisent un langage fluide ;

– le module 4 s'applique quant à lui à des adolescents et adultes dont le langage est le plus élaboré.

Le module 3 comporte une partie d'observation durant un jeu interactif et des questions destinées à recueillir de l'information sur la communication sociale. Le module 4 est surtout fait à partir de questions et de conversation. L'administration de l'ADOS demande 30 à 45 minutes. Des critères de notation précis permettent d'attribuer des notes qui vont de 0 à 3 pour chaque item :

– la note de 0 est accordée lorsque le comportement ne présente pas les anomalies spécifiques aux troubles envahissants du développement ;

– la cotation 1 est retenue lorsque le comportement est légèrement anormal ou légèrement inhabituel ;

– la note 2 correspond à un comportement nettement anormal ;

– la note 3 est donnée pour un comportement franchement anormal au point que cela interfère avec l'interaction. Cette note peut aussi correspondre à un comportement si limité que l'appréciation de sa qualité sociale est impossible.

Deux autres cotations correspondent à des situations où le comportement ne sera pas retenu : 7 lorsqu'il existe une anomalie mais qui ne concerne pas les troubles envahissants du développement, 8 lorsque le comportement est absent et que la cotation est donc inapplicable.

L'ADOS permet le diagnostic de troubles du spectre autistique en référence au DSM-IV et à l'ICD-10 avec un seuil pour le diagnostic de l'autisme défini dans l'algorithme. Comme pour l'ADI-R, il est nécessaire d'avoir une formation spécifique et de se soumettre à des procédures de validation pour utiliser l'ADOS.

L'ADI-R et l'ADOS constituent à l'heure actuelle le standard de l'instrument de diagnostic dans tous les protocoles de recherche associant des équipes au niveau international. Les versions françaises de l'ADI-R et de l'ADOS sont en cours de préparation pour publication (Rogé et coll.)

LE BOS – *BEHAVIOR OBSERVATION SCALE*

Le BOS de Freeman (1978) permet une évaluation objective du comportement de l'enfant dans un contexte développemental. L'échelle comporte 71 items dans sa version française (Adrien *et al.*, 1987). L'enfant est d'abord laissé libre d'explorer les jouets à sa guise. Il est ensuite placé un contexte standardisé. L'examen se divise en 9 périodes de 3 minutes. La cotation repose sur la fréquence d'apparition des comportements durant les différentes périodes de 3 minutes (de 0 = absent à 3 = apparaît continuellement).

L'ÉCHELLE D'ÉVALUATION DES COMPORTEMENTS AUTISTIQUES – ECA

L'échelle d'évaluation des comportements autistiques – ECA – (Lelord, Barthélemy, 1989) comporte vingt-neuf items dans les domaines du contact et de la communication, de la motricité, de la perception, de l'imitation. La cotation est faite d'après les observations réalisées par une personne qui côtoie souvent l'enfant.

Les observations sont menées dans les différentes situations de la vie quotidienne. La cotation va de 0 = normal à 4 = très pathologique. Le score global indique l'intensité de la pathologie. Il s'agit d'une procédure d'évaluation continue qui peut être utilisée par toutes les personnes qui travaillent avec l'enfant.

L'ÉCHELLE D'ÉVALUATION DES COMPORTEMENTS AUTISTIQUES DU NOURRISSON – ECA-N

L'échelle d'évaluation des comportements autistiques du nourrisson – ECA-N – (Sauvage, 1988) est issue des travaux de l'équipe de Tours. Elle permet d'analyser les troubles des fonctions chez le très jeune enfant. Treize fonctions sont examinées. Chaque fonction est évaluée par cinq items. Le total donne un score fonctionnel.

D'autres outils standardisés pour le diagnostic de l'autisme existent mais ils sont moins fréquemment utilisés et ne comportent pas de version française.

La démarche de diagnostic s'inscrit dans une collaboration pluridisciplinaire et parallèlement à cette recherche standardisée de tous les éléments qui confirmeront le diagnostic clinique de l'autisme, le diagnostic étiologique est réalisé par des pédiatres et des neuropédiatres qui vont procéder à l'examen physique de l'enfant et organiser les investigations permettant la recherche de maladies neurologiques, d'anomalies génétiques, métaboliques, de troubles au niveau du système immunitaire ou la recherche d'anomalies fonctionnelles à l'aide d'examens comme l'EEG et l'imagerie cérébrale.

Chapitre 8

ÉVALUATION

Au-delà des signes cliniques qui permettent de faire le dia-gnostic, l'autisme correspond aussi à un ensemble de particula-rités du développement cognitif et social qui se concrétise dans le fonctionnement de la personne. C'est cet aspect qui détermine la manière dont le sujet réagit à son environnement et aborde les apprentissages. L'évaluation est donc indispensable pour que la démarche éducative soit adaptée au mode particulier de fonction-nement des personnes porteuses d'autisme.

L'évaluation a plusieurs objectifs. Elle va permettre de définir le niveau de développement dans chacun des domaines explorés. Le profil des enfants atteints d'autisme est en effet très hétéro-gène et la prise en compte de cette réalité détermine les choix pour la planification des apprentissages. L'évaluation permet aussi de faire le point sur le niveau d'acquisition réalisé par l'enfant et de cerner les particularités de la saisie et du traitement de l'information, de repérer les intérêts particuliers et la spécifi-cité des modalités de réponse à l'environnement physique et social. C'est aussi durant l'évaluation que sera menée l'analyse fonctionnelle des troubles du comportement. Tous ces objectifs correspondent au besoin de mieux situer le niveau de fonctionne-ment de la personne et de caractériser son fonctionnement per-sonnel et ses besoins afin de définir avec la famille les axes de son programme éducatif individualisé (PEI).

LES OUTILS DE L'ÉVALUATION (TESTS, OBSERVATION)

L'évaluation s'appuie sur des outils spécifiques qui sont des tests standardisés à partir desquels le sujet est comparé à des normes établies sur des populations d'enfants sans problème de développement.

On utilise ainsi plusieurs types de tests décrits ci-dessous.

Les tests classiques pour déterminer le niveau intellectuel ou le niveau de développement

Chez les jeunes enfants les tests utilisés sont des échelles de développement psychomoteur comme le Brunet-Lézine. Il s'agit d'un test ancien, mais qui a fait l'objet d'une révision récente. Il permet d'évaluer le développement des jeunes enfants entre 1 et 30 mois. Une échelle complémentaire existe jusqu'à 5 ans, mais elle est moins discriminative. Les comportements de l'enfant sont évalués dans les domaines du contrôle postural, de la coordination oculo-manuelle, du langage, et de la sociabilité. Un âge de développement (AD) est obtenu. Il permet de calculer un quotient de développement en le rapportant à l'âge réel (AR) selon la formule $QD = AD/AR \times 100$.

L'échelle de Griffiths est également une échelle de développement applicable de 0 à 8 ans. Elle permet d'explorer six domaines qui sont la motricité, la sociabilité-autonomie, le langage, l'intégration oculo-manuelle, les performances, le raisonnement pratique. Ici encore, un âge de développement est obtenu. Il sera transformé en quotient de développement par la même formule que précédemment.

L'échelle d'Uzgiris-Hunt est une échelle de développement cognitif pour les jeunes enfants (0 à 2,5 ans). Elle évalue le développement sensori-moteur au sens piagétien du terme. On retrouve donc les différents stades de développement décrits par Piaget pour le développement de la permanence de l'objet, des comportements orientés vers un but (moyens-but), de l'imitation vocale et gestuelle, de la compréhension de la causalité opérationnelle, des relations spatiales et des schèmes d'action.

Les tests de niveau permettent d'obtenir un indice de fonctionnement intellectuel calculé à partir de normes établies sur le groupe d'âge de l'enfant.

Le K-ABC de Kaufman est une batterie de tests qui est étalonnée de 2,5 ans à 12 ans et qui permet d'évaluer le fonctionnement cognitif dans deux aspects : traitement simultané et traitement séquentiel. C'est une technique particulièrement intéressante pour l'examen des autistes car elle permet d'évaluer le traitement séquentiel (traitement temporel) qui est déficitaire chez eux.

Le WISC-III de Wechler est une batterie de tests classique, étalonnée pour des enfants jusqu'à 15 ans. Il existe une version destinée à l'âge préscolaire (WPPSI). Les items sont répartis dans deux échelles, l'une explorant les capacités verbales, et l'autre les performances. Les scores obtenus à chaque épreuve sont transformés en notes standards et directement convertis en QI standard par lequel le sujet est situé par rapport aux enfants de sa tranche d'âge. Le WISC-III n'est généralement utilisable qu'avec les enfants de meilleur niveau intellectuel car la participation verbale et la compréhension verbale des consignes, même dans les items de performance, sont importantes. Pour les enfants de bon niveau, elle comporte des items qui permettent d'explorer certaines difficultés spécifiques à l'autisme. Par exemple, les arrangements d'images révèlent les problèmes d'organisation temporelle, l'item de compréhension permet de cerner certaines difficultés d'interprétation et d'intégration des situations sociales.

Les tests spécifiquement élaborés pour la population des personnes autistes : PEP-R, AAPEP

Le PEP-R de Schopler (*Psycho-Educational Profile*) est un test de développement spécifiquement mis au point pour une population d'autistes. Il est issu d'une première version (PEP) qui a été révisée de manière à permettre l'extension vers les âges inférieurs, un approfondissement de l'examen du langage, et un affinement des critères d'évaluation des troubles du comportement. La passation est souple et adaptable en fonction des difficultés spécifiques. La plupart des items sont indépendants du langage. L'administration flexible permet de s'ajuster aux problèmes de comportement des enfants. Il n'y a pas de limite de temps. Le matériel est concret et peut être intéressant même pour des enfants sévèrement handicapés. L'étendue des épreuves est large et on peut donc obtenir quelques succès, même avec des enfants très jeunes ou très déficitaires. Les items de langage sont séparés des autres domaines. Le PEP-R est utilisable entre 6 mois et 7 ans mais il est encore utilisable entre 7 et 12 ans, surtout pour les enfants qui présentent un retard. Trois scores sont possibles : réussi, émergent, échoué. Par ailleurs, une échelle spécifique permet d'évaluer les comportements pathologiques d'après l'observation. Les résultats se présentent sous la forme d'un niveau de développement et d'un profil qui permet de saisir les forces et les faiblesses de chaque enfant. La prise en compte des émergences (ce que l'enfant amorce, son début de compréhension ou de réalisation d'une tâche) permet ensuite d'élaborer un programme individualisé en fonction d'objectifs.

Après l'âge de 12 ans, c'est l'AAPEP (*Adolescents and Adults Psycho-Educational Profile*) qui est utilisé. Il évalue les habiletés fonctionnelles dans les domaines de l'imitation, la perception, la motricité fine, la motricité globale, l'intégration main-œil, la performance cognitive, le langage.

La batterie d'évaluation du développement cognitif et socio-émotionnel – BECS – (Adrien, 1996) a aussi été conçue pour répondre aux besoins spécifiques en matière d'évaluation des enfants ayant des problèmes de développement et plus particulièrement les enfants autistes. Cette batterie a été construite à partir du modèle de développement de l'intelligence sensori-motrice de Piaget. Des épreuves concernant le développement des capacités sociales et communicatives inspirées des travaux de Seibert et Hogan (Seibert *et al.*, 1982) et des épreuves évaluant les aspects affectifs et émotionnels ont été ajoutées. La BECS évalue seize fonctions cognitives et sociales chez des enfants dont le niveau de développement est inférieur ou égal à deux ans. Ces fonctions se répartissent en différents domaines : cognition sensori-motrice et cognition socio-émotionnelle. Les capacités évaluées sont hiérarchisées en quatre niveaux correspondant à des âges de développement. La cotation permet d'établir un niveau optimal de développement dans les domaines explorés. Elle permet aussi de situer le niveau potentiel en fonction de l'aide apportée à l'enfant. Enfin, des scores d'hétérogénéité du développement cognitivo-social permettent de préciser les résultats. Il s'agit d'un outil encore en cours de validation et dont la publication est annoncée (Adrien, communication personnelle de l'auteur).

Les tests de comportements adaptatifs

Le Vineland (*Vineland Adaptive Behavior Scale*) (Sparrow *et al.*, 1984 a et b). Cette échelle a été conçue à partir de l'échelle de maturité sociale de Vineland. Elle évalue l'adaptation personnelle et sociale de la naissance à l'âge adulte. Elle est applicable à des populations handicapées ou pas. Elle n'implique pas la mise en situation de test mais repose sur un entretien avec une personne proche de l'enfant. L'adaptation est évaluée dans quatre domaines : communication, vie quotidienne, socialisation, motricité. L'échelle permet aussi d'évaluer les comportements inadaptés. La cotation se fait en fonction de la présence et de la fréquence d'utilisation d'une compétence. Les informations apportées sont précieuses pour la planification des activités en vue des apprentissages.

Les échelles plus spécifiques portant sur un secteur particulier comme par exemple la communication.

L'échelle de communication sociale précoce – ECSP – (Guidetti et Tourrette, 1993) est la traduction de l'échelle de Seibert et Hogan (1982). Cette échelle a surtout pour but d'évaluer la communication. Elle s'applique à des enfants de 3 à 30 mois. Elle explore trois domaines qui sont l'interaction sociale, l'attention conjointe, et la régulation du comportement de communication. Vingt-trois situations de communication destinées à susciter les comportements entre l'adulte et l'enfant sont présentées. Un matériel simple et attrayant est utilisé. On observe comment l'enfant s'engage dans l'interaction, prend l'initiative, comment il communique et comment il répond à une sollicitation, comment il maintient l'interaction.

L'observation

Elle se fait en continu durant les séquences de travail avec l'enfant et lorsqu'il est en activité libre. Elle requiert une bonne connaissance de l'autisme pour l'identification des comportements spécifiques et pour le repérage des adaptations qui permettent un meilleur fonctionnement de l'enfant. Elle permet de saisir le comportement spontané et de percevoir d'éventuels décalages dans les comportements exprimés dans différents environnements ou par rapport à des interlocuteurs différents. À cet égard, l'observation dans le milieu de vie habituel de l'enfant est tout à fait complémentaire des observations réalisées durant l'évaluation dans un lieu réservé à ce type d'examen.

Les échanges avec la famille

Le regard des parents durant l'évaluation est important à plus d'un titre. Les informations que la famille apporte sur les habitudes de l'enfant et sur ses comportements spécifiques sont précieuses car elles permettent de s'adapter plus rapidement à lui. Sans ces informations, le psychologue est en effet amené à tâtonner et éventuellement à perturber l'enfant dans un premier temps s'il ne connaît pas bien ses modes de réaction. Une connaissance préalable de l'enfant par les informations apportées par les parents apporte donc au professionnel les moyens d'aborder l'enfant en lui donnant rapidement le confort qui va faciliter les échanges avec lui. Par la suite, durant la procédure d'évaluation les éléments apportés par les parents permettent de porter l'accent sur des comportements inhabituels que l'on pourrait ne pas observer durant l'évaluation et qui pourtant traduisent une acquisition au moins partielle du comportement. Les décalages peuvent aussi être les indicateurs d'une acquisition instable ou non généralisée puisqu'elle reste liée au contexte familier à l'enfant.

LES STRATÉGIES DE L'ÉVALUATION

Toutes ces techniques permettent donc d'évaluer le niveau de l'enfant, ses points faibles et ses points forts, ce qui l'intéresse et le motive. Leur application nécessite une bonne connaissance de l'autisme car de nombreuses adaptations sont indispensables si l'on veut réellement accéder aux possibilités de l'enfant.

Les stratégies que l'on va utiliser dans le cadre de l'évaluation sont directement inspirées de l'approche éducative car elles tiennent compte des difficultés spécifiques rencontrées dans l'autisme. La préparation d'un environnement adapté à l'évaluation des personnes atteintes d'autisme s'appuie sur quelques règles simples et facilement applicables. Toute évaluation des compétences, même lorsqu'elle s'applique à une personne qui ne souffre pas d'autisme se fait dans un endroit où les informations parasites sont contrôlées.

L'examen se déroule dans un endroit calme et relativement organisé. Il est important de s'appuyer sur un environnement pauvre en stimulations car celles-ci peuvent parasiter la concentration. L'habituation aux lieux et aux personnes et la prise en compte des particularités sont également nécessaires. Le cadre que l'on va proposer à une personne autiste doit donc être pensé en fonction de ses difficultés à gérer l'afflux d'informations et de son besoin de repères précis. L'environnement doit être particulièrement sobre, dépouillé et les informations auditives et visuelles extérieures aux épreuves elles-mêmes diminuées au maximum. Le lieu est structuré de manière à ce que le type d'activité qui va s'y dérouler soit bien compris. Le niveau de communication réceptive et expressive est repéré afin de pouvoir interagir de manière efficace et d'éviter les troubles du comportement reflétant la détresse liée à une absence de compréhension ou à une difficulté pour exprimer une demande ou un refus. Les épreuves vont se dérouler selon une routine préétablie qui permet à la personne d'anticiper et de se sentir plus à l'aise. Par exemple, une routine simple d'alternance entre des périodes de travail structuré et des séquences de détente où la personne peut revenir à ses activités préférées permet de désamorcer les attitudes d'opposition qui correspondent plus à une inquiétude qu'à un véritable refus.

Pour l'application des épreuves, des entorses à la standardisation sont souvent nécessaires. Par exemple, le matériel doit être organisé de manière à ne pas introduire la confusion. La durée d'attention et la fatigabilité de la personne sont prises en compte. L'éventuel temps de latence conduit à prolonger la durée de l'attente d'une réponse. Faute d'appliquer cette stratégie simple, l'examinateur peut provoquer une grande frustration chez le sujet à qui l'on retire le matériel au moment où il se prépare avec un temps de retard à répondre à la consigne qu'on lui a donnée. L'adaptation du niveau de difficulté va contribuer également à renforcer la participation de la personne. Confronté à une difficulté trop grande, l'individu a tendance à s'agiter et à présenter des troubles du comportement. La capacité à s'adapter en réajustant le niveau de difficulté en cours d'épreuve est susceptible de donner une nouvelle impulsion à l'envie de la personne de répondre aux sollicitations. Les aides spécifiques comme les indices visuels ou le guidage physique vont dans le même sens. En facilitant la réalisation et le succès, elles suscitent un intérêt plus grand et une motivation plus importante à participer. Ces aides sont généralement hiérarchisées car il est nécessaire d'évaluer les conditions dans lesquelles une personne est capable de répondre à une demande. La consigne est d'abord présentée sans aide spécifique, et des aides de plus en plus précises vont se mettre en place en fonction des difficultés.

Ces modifications apportées à la situation standardisée sont déterminantes pour approcher véritablement le potentiel de l'enfant et pour comprendre dans quelles conditions ce potentiel peut s'actualiser, quelle est la nature des aménagements à fournir pour permettre l'émergence d'un comportement et le travail d'apprentissage.

Cette démarche d'adaptation durant l'évaluation permet déjà de tracer les perspectives de l'intervention qui suivra.

Enfin, l'utilisation de renforcements permet de soutenir la motivation.

Les outils et les stratégies utilisés doivent permettre de réaliser une évaluation qui soit fonctionnelle. Il ne s'agit pas simplement de déterminer un âge de développement mais de préciser le niveau fonctionnel du comportement c'est-à-dire le degré d'utilisation que l'enfant peut en faire dans la vie de tous les jours. Le comportement présenté va donc être décrit en fonction des contextes dans lesquels il peut s'exprimer. Par exemple, il sait imiter mais le fait-il dans tous les contextes, avec ou sans objet, sur une partie de son corps qu'il contrôle par le regard ou pas ? L'imitation est-elle spontanée lors de l'observation d'un modèle et/ou l'enfant a-t-il besoin d'une consigne, d'un ordre ? Faut-il insister pour qu'il le fasse ? Il connaît des mots mais les utilise-t-il à bon escient ? Fait-il des phrases correctes ? utilise-t-il le langage à des fins de communication sociale ? avec quels partenaires ? L'utilise t-il avec des communications non verbales qui sont coordonnées avec son discours ?

L'évaluation ne se résume donc pas à un ensemble de résultats chiffrés mais elle doit aboutir à un tableau fonctionnel des acquis de l'enfant avec des points forts, des points faibles, des acquisitions en émergence, des acquisitions limitées à certains contextes et qu'il conviendra de généraliser.

L'évaluation constitue le préalable à la mise en place du programme éducatif individualisé et de toutes les actions destinées à soutenir l'enfant dans son développement, à faciliter son épanouissement et son insertion sociale.

PARTIE 4

TRAITER ET ÉDUQUER

Chapitre 9

L'ÉDUCATION STRUCTURÉE ET LES THÉRAPIES COMPORTEMENTALES ET COGNITIVES

« Vivre c'est apprendre, et grandir c'est apprendre. On apprend à marcher, à parler, et à lancer une balle ; on apprend à lire, à faire un gâteau et à côtoyer des camarades du sexe opposé ; on apprend à occuper un emploi, à élever des enfants ; on apprend à se retirer élégamment lorsqu'on devient trop vieux pour travailler efficacement, et on apprend à s'entendre avec un mari ou une épouse qui a vécu à nos côtés pendant 40 ans. Ce sont là des tâches d'apprentissage. L'être humain apprend à vivre sa vie. »

(HAVIGHURST, 1972).

L'ÉDUCATION STRUCTURÉE, PREMIER TRAITEMENT DE L'AUTISME

Le premier traitement de l'autisme est l'éducation. Les enfants autistes ont droit, comme les autres à l'éducation. Celle-ci vise l'épanouissement de la personne et sa progression vers une vie qui sera la plus autonome possible dans un cadre où l'individu pourra développer ses capacités à communiquer, développer ses compéten-ces et s'insérer dans la communauté sociale en fonction de ses moyens.

L'éducation proposée aux enfants autistes est spécifique car le développement des enfants autistes présente des particularités dont il faut tenir compte pour planifier les apprentissages et les organiser de manière cohérente en fonction des objectifs poursuivis. Les enfants porteurs d'autisme font difficilement des apprentissages spontanés. Pour les plus atteints d'entre eux, les acquisitions se limiteront à ce que les adultes leur apprennent spécifiquement. Si l'on veut envisager pour eux des possibilités d'adaptation dans le futur, il est donc essentiel de commencer très tôt des apprentissages qui seront longs et difficiles à établir. Même pour les enfants qui présentent des troubles moins marqués, les apprentissages n'ont pas le caractère spontané qu'on leur trouve chez les enfants ordinaires, surtout dans le domaine de la communication et de l'adaptation sociale.

Parents et professionnels partagent des attentes à l'égard des enfants mais ces attentes devront être pondérées en fonction des données de l'évaluation et de la définition d'objectifs à court, moyen et long terme. Il s'agit, tout en gardant en perspective les objectifs à long terme, de s'appuyer sur ce que l'enfant est prêt à apprendre dans l'immédiat afin d'ajuster la demande qui lui est faite à ses possibilités. Cet ajustement est essentiel pour développer le potentiel de l'enfant dans un climat de soutien et de réussite. Une pression trop importante, avec des objectifs trop ambitieux pour les possibilités de l'enfant est en effet génératrice de stress et de frustra-tion. Elle entraîne un sentiment d'échec néfaste pour tous et peut être à l'origine de troubles du comportement. Dans ce cas, ce qui est perçu comme une résistance de l'enfant n'est en fait que le reflet de l'inadéquation de ce qui est proposé.

Les priorités éducatives vont être déterminées en fonction des résultats de l'évaluation, des attentes de la famille et du milieu fré-quenté par l'enfant dans la journée. Le programme va comporter des objectifs de travail définis en fonction des capacités et des lacunes actuelles, des demandes des parents et de ce qui est réalisable.

Les objectifs à long terme correspondent à un projet de vie : auto-nomie, intégration sociale et professionnelle. Les objectifs à moyen terme sont constitués par les étapes intermédiaires qu'il faudra fran-chir pour réaliser le projet de vie : savoir se laver, s'habiller, savoir

se déplacer dans les transports, occuper ses loisirs, occu
de travail, savoir se comporter dans les situations s
objectifs à court terme sont les exercices précis à réalise
niser les comportements. Les objectifs à court terme son
lesquels on s'attend à une mobilisation, à un progrès dans ... laps de
temps court, d'environ trois mois. Fixer des objectifs à court terme
permet la réévaluation régulière et le réajustement. Il est en effet
important de s'engager dans un processus continu d'évaluation,
dans lequel les buts à atteindre sont décrits, les effets de l'intervention évalués, et les objectifs réajustés en fonction du résultat. Soit le
but est atteint et il faut le dépasser, c'est-à-dire déterminer la
séquence qui suit, celle qui permettra d'accéder à un degré de com-
plexité plus grand, soit le but n'est pas atteint et il faut le modifier.

La détermination d'objectifs adaptés suppose que certaines
conditions soient respectées. Le choix des activités doit être réaliste.
Les apprentissages envisagés doivent être pertinents dans le milieu
où vit l'enfant. Les priorités familiales, les choix parentaux doivent
être pris en compte. L'objectif visé doit offrir une bonne probabilité
de réussite. Les buts projetés doivent pouvoir s'enchaîner. Les comportements appris vont en effet s'intégrer dans des séquences plus
complexes. Par ailleurs, les buts fixés dans différents domaines
seront interdépendants. Par exemple, un travail sur l'attention sera
utile dans différents secteurs d'activités et les progrès dans ce
domaine auront des répercussions aussi bien dans des apprentissages de type scolaire que dans l'apprentissage de comportements
adaptatifs et de la communication.

La mise en place d'un système de communication efficace, qu'il
s'agisse du langage ou d'un système alternatif, permettra à l'enfant
d'exprimer ses besoins, de formuler des demandes et de susciter des
réponses chez autrui. L'enfant gagnera ainsi en possibilités d'expression et de contrôle sur l'environnement.

Les axes du programme et le contenu sont définis en fonction
des priorités qui émergent de l'évaluation et de la confrontation
des idées et attentes des parents et des professionnels et le programme est mis en œuvre dans le cadre d'un partenariat avec la
famille.

Le programme s'appuie sur des fonctions telles que l'attention,
l'imitation, la motricité, la perception, les capacités cognitives, le
langage et les autres formes de communication. Les exercices proposés vont être conçus pour travailler un comportement précis. Ils

doivent être diversifiés dans leur contenu, dans le matériel et dans les contextes de présentation. Il ne s'agit pas seulement d'apprendre un geste précis mais d'apprendre un geste que l'enfant saura utiliser à bon escient.

Ces exercices sont proposés de manière à tenir compte des particularités liées à l'autisme. Ces aspects spécifiques nécessitent l'adaptation des tâches et du contexte physique et social dans lequel elles sont présentées (Jordan et Powell, 1995 ; Mesibov, 1995 ; Peeters, 1996 ; Schopler *et al.*, 1983, 1988).

L'éducation d'un enfant autiste requiert l'individualisation. Cette individualisation est possible à partir de l'évaluation qui permettra d'objectiver au mieux le niveau de développement, les compétences en place, les particularités propres à l'enfant.

L'adaptation de l'environnement est nécessaire car il existe des difficultés à organiser les informations et par voie de conséquence à donner un sens aux informations. L'environnement est difficile à décoder. Au niveau physique, les indices qui permettent d'organiser son comportement ne sont pas toujours lisibles pour la personne autiste. Sur le plan social, les attentes des autres sont difficiles à saisir compte tenu des problèmes de compréhension du langage et des communications non verbales.

L'éducation va donc s'appuyer sur un cadre structuré qui apporte à l'enfant les repères qui lui manquent. La structuration s'appliquera à l'espace, au temps et aux activités.

L'organisation de l'espace permettra d'éviter la confusion et donc le stress. Des espaces spécifiquement dévolus à certaines activités seront ainsi définis et clairement délimités et identifiés par des moyens visuels (travail individuel, repos, détente, activités libres, toilette, repas, activités de groupe).

L'organisation du temps est également rendue nécessaire en raison des difficultés à appréhender la succession des activités et donc à anticiper. Les horaires visuels permettent l'anticipation des activités et le développement de l'autonomie. Le planning de chaque enfant est adapté à son niveau (tableau écrit, succession de photos, d'images, succession d'objets).

Dans un premier temps, lorsque l'enfant n'est pas encore familiarisé avec le contenu de ce que l'on veut lui enseigner, il est particulièrement important de s'appuyer sur un cadre structuré dans lequel les consignes et les moyens à mettre en œuvre pour répondre seront clairs. Ce sont essentiellement des aides visuelles qu tent une meilleure compréhension et donc une meilleure ac La transposition de ces aides à d'autres contextes que .... l'apprentissage permet ensuite à l'enfant de devenir plus autonome et de réutiliser son savoir faire dans un environnement où celui-ci pourra prendre du sens par son utilité. Par la suite, la nécessité du maintien d'un cadre spécifique est fonction du niveau de la personne et du degré de son handicap. Le cadre adapté est en effet un outil qui favorise l'apprentissage. Pour les personnes dont le degré de handicap est léger, il est possible d'amener à la transposition dans un cadre moins organisé, plus proche de l'environnement ordinaire. Cependant, même lorsque la structuration n'apparaît pas clairement dans l'environnement physique, elle doit continuer à présider à la manière de se comporter et de présenter les informations à la personne atteinte d'autisme même si elle a de bonnes capacités intellectuelles.

Les personnes dont le niveau d'autisme est le plus lourd restent tributaires des aides matérielles mises en place mais cela leur procure un confort de fonctionnement auquel elles ne pourraient pas prétendre sans elles.

Enfin, les activités elles-mêmes doivent faire l'objet d'une adaptation en fonction du niveau et des objectifs retenus. Leur présentation se fait ensuite dans un cadre qui facilite l'intégration de l'ensemble de la séquence. Le système de travail apporte des informations sur la situation (quel travail, quelle quantité), la disposition spatiale facilite la compréhension du déroulement (gauche à droite), le système de repérage de la succession (numérotation, images) clarifie l'enchaînement des gestes à réaliser, la consigne visuelle facilite la compréhension et la rend lisible tout au long du déroulement de la tâche. Des aides spécifiques (fractionnement de la tâche, clarification, aides visuelles, aides physiques) sont également mises en place pour mettre l'enfant dans une situation de réussite.

Les renforcements, qu'ils soient de nature sociale ou autre, font partie de toute démarche éducative et doivent être prévus en fonction des goûts propres à chaque personne. Dans la situation d'apprentissage, les renforcements sont d'abord systématiques pour soutenir l'intérêt de l'enfant et l'amener à poursuivre son effort. Dans la phase de consolidation, ils deviennent plus aléatoires. Enfin, à l'issue de l'apprentissage, le renforcement viendra plutôt de la réussite elle-même et des avantages qu'elle engendre.

Les apprentissages proposés doivent s'inscrire dans les objectifs définis au préalable et ils doivent être fonctionnels. L'apprentissage individualisé dans un contexte facilitateur constitue une étape vers la transposition à d'autres environnements et notamment dans des contextes où l'enfant aura également à gérer une dimension sociale. La généralisation, c'est-à-dire la transposition du comportement acquis à d'autres environnements, est à prévoir en même temps que les exercices proposés. Si la nature même de l'autisme amène l'éducateur à travailler en s'ajustant au maximum aux particularités de la personne autiste, le but ultime est d'accroître au maximum les possibilités de fonctionnement dans des environnements diversifiés. Il est donc important de dépasser le cadre du premier apprentissage pour introduire progressivement des variantes. La collaboration avec la famille permet cette transposition et prépare au mieux la personne à utiliser les nouvelles compétences acquises dans son milieu de vie habituel.

Enfin, lorsque le programme issu de la réflexion conjointe des parents et des professionnels est mis en œuvre, la réévaluation permanente des acquisitions de l'enfant doit permettre d'ajuster régulièrement le contenu du programme et ses modalités d'application. La pertinence du programme éducatif individualisé s'évaluera aussi indirectement au travers de la qualité de vie qu'il est susceptible de procurer dans l'immédiat à l'enfant et à sa famille, et au travers de sa capacité à préparer au mieux l'avenir de la personne autiste.

L'ÉDUCATION À TOUS LES ÂGES

La trajectoire de développement d'une personne ne s'arrête pas à la fin de l'enfance. Chaque étape de la vie connaît ses défis et ses apprentissages. Il ne viendrait à l'idée de personne de considérer que pour un jeune adulte ordinaire, le développement des possibilités cognitives étant achevé, il n'y a plus de place pour les nouvelles acquisitions. L'accès à de nouveaux environnements pour les études, le travail, la vie amicale et familiale donne lieu à la nécessité d'ajustements et d'apprentissages. Pour la personne autiste, outre le fait que son développement particulier l'amène fréquemment à être en retard mais à apprendre aussi plus longtemps, l'éducation va se poursuivre au-delà de l'enfance et quelque soit le milieu de vie qui est organisé, la mise en place d'apprentissages cognitifs transposables à la vie quotidienne représente une stimulation essentielle au maintien de l'intérêt pour l'environnement. Les adaptations que les particularités de l'autisme rendent nécessaires continuent à être utiles aussi longtemps que la personne est autiste. Cela signifie que le passage d'une structure adaptée aux enfants à un lieu réservé aux adolescents ou aux adultes ne doit pas entraîner une rupture radicale dans les modalités d'aide spécifique mises en place. Une personne qui est habituée à effectuer des tâches qu'elle investit bien grâce à des repères visuels ne doit pas soudainement avoir à se passer de cette aide. Une personne qui n'a pas d'autres moyens de communiquer que des images ne doit pas tout à coup être privée de cet outil. Les ruptures de ce type sont fortement préjudiciables aux personnes atteintes d'autisme et entraînent des troubles du comportement qui se manifestent soit par le retrait social et la régression, soit par des violences dirigées vers soi-même ou vers les autres. Certaines personnes atteintes d'autisme évoluent suffisamment pour que les aides ne soient plus aussi évidentes dans l'environnement physique mais leur fonctionnement s'appuie néanmoins sur une organisation très structurée dont les attitudes de l'entourage doivent continuer à s'inspirer. La gestion des débordements émotionnels est par exemple facilitée, même pour une personne autiste de bon niveau intellectuel, par des informations simples, dépouillées et visuelles.

LES THÉRAPIES COMPORTEMENTALES ET COGNITIVES

Elles ont pour objectif de développer les comportements positifs et de réduire les conduites inadaptées. Elles s'appuient sur une analyse fonctionnelle des difficultés et reposent sur des techniques qui sont décrites avec précision et donc aisément transposables. L'évaluation fait partie de la démarche cognitivo-comportementale et des études contrôlées ont été réalisées afin de tester l'efficacité immédiate des procédures de modification et le maintien des effets à long terme. Des effets bénéfiques ont été obtenus avec une augmentation du langage et des compétences sociales, et une diminution des comportements inadaptés comme l'agressivité ou les comportements obsessionnels (De Myer et coll., 1981 ; Newsom et Rincover, 1989 ; Rutter, 1985 ; Howlin et Rutter, 1987).

L'ABA (*Applied Behavior Analysis*) est un programme qui repose sur ce modèle comportemental de l'apprentissage. Il a pour objectifs de construire le répertoire des comportements sociaux nécessaires à l'adaptation et de diminuer les comportements problématiques. Dans le modèle comportemental, l'autisme est perçu comme un syndrome dans lequel les déficits et les anomalies du comportement ont une base neurologique mais qui offre malgré tout une prise aux techniques de modification comportementale. Les enfants atteints d'autisme apprennent peu de manière spontanée dans leur environnement naturel. Ils peuvent cependant apprendre dans un environnement spécifiquement préparé pour un apprentissage systématique. Ce type de traitement consiste en l'apprentissage de petites unités de comportements dans le cadre d'essais répétés. Le comportement est donc fractionné en petites étapes qui seront enseignées le plus souvent dans une situation d'apprentissage individuel. L'enfant doit répondre à une consigne, par exemple, regarde-moi. Au départ, l'enfant peut être aidé par une incitation physique. Les réponses correctes même lorsqu'elles sont obtenues avec de l'aide sont renforcées par une récompense. Lorsque l'enfant donne une réponse incorrecte, l'adulte l'ignore et donne des incitations pour obtenir la bonne réponse. Dans un premier temps, l'enfant est récompensé même pour une réponse imparfaite mais qui s'approche de la bonne réponse. Au fur et à mesure de la progression de l'apprentissage, les exigences sont plus grandes et l'enfant doit fournir une réponse plus élaborée pour obtenir la récompense. Au départ les récompenses sont souvent alimentaires mais rapidement, ce sont les renforcements sociaux qui prennent le relais. Au départ, ce sont des comportements simples qui sont travaillés : rester assis à la table, imiter, faire attention. Par la suite, des comportements plus complexes comme le langage, le jeu, l'interaction sociale sont travaillés aussi. Les essais sont répétés jusqu'à ce que l'enfant ait acquis la bonne réponse sans l'aide de l'adulte. Les comportements de l'enfant sont enregistrés régulièrement et les modifications sont figurées sous forme de graphiques qui présentent l'évolution. Le plus souvent, la fréquence d'un comportement est l'unité retenue. La fréquence du comportement est relevée à plusieurs reprises avant toute intervention afin d'établir la ligne de base. Celle-ci servira de référence pour évaluer la progression vers l'objectif.

Lorsque l'enfant progresse dans ses apprentissages les comportements acquis sont sollicités dans un environnement moins structuré de manière à faciliter la généralisation. Lorsque l'enfant devient capable de généraliser à d'autres environnements, le comportement s'auto renforce car il est utile et fonctionnel au quotidien et prend donc du sens. Pour certains comportements, l'apprentissage peut se faire directement dans l'environnement habituel de l'enfant. Il s'agit alors de relever les initiatives positives de l'enfant pour les renforcer aussitôt. Il s'agit alors d'un apprentissage dit incident, c'est-à-dire reposant sur l'émergence et le renforcement de comportements en milieu naturel. Le recours à ce type de technique suppose que l'enfant a l'opportunité de présenter fréquemment le comportement afin que celui-ci puisse être renforcé.

La progression normale se fait d'une situation duelle dans laquelle l'enfant apprend individuellement avec un adulte, à une situation de petit groupe dans laquelle l'enfant pourra appliquer le comportement appris et être renforcé pour cela. À partir des réponses simples sont élaborés des comportements plus complexes qui pourront donc être utilisés dans la vie de tous les jours et augmenter l'adaptation de l'enfant.

Pour les comportements inappropriés, l'analyse fonctionnelle permet de déterminer quels sont les événements qui les déclenchent ou les renforcent. À partir de cette analyse est élaborée une stratégie de traitement du comportement cible. Les comportements dont la fonction semble être de rechercher le contact de manière inadaptée font l'objet d'un retrait d'attention de manière à ne pas être renforcés. En contrepartie, des moyens plus positifs d'entrer en communication sont enseignés. Les comportements problèmes peuvent aussi être atténués par la mise en place et l'apprentissage de réponses positives incompatibles avec eux.

La mise en application de ces techniques de modification du comportement demande une formation spécifique que les personnes qui entourent l'enfant devraient tous suivre afin d'augmenter les opportunités d'apprentissages organisés dans un programme cohérent. Les programmes comportementaux doivent cependant être suivis par une personne expérimentée qui saura conduire une analyse fonctionnelle correcte, définir les bons comportements cible, choisir et mettre en œuvre les procédures les plus adaptées et éviter que certains comportements pourtant indésirables ne soient involontairement renforcés par des pratiques inadéquates.

En dehors d'un travail sur des cibles de comportement définies, la question d'une influence possible sur le pronostic d'évolution à long terme s'est bien sûr posée. Les études initiales avaient montré qu'il était difficile d'obtenir des améliorations substantielles à long terme (De Myer *et al.*, 1981), et le bilan du premier programme intensif s'est avéré décevant dans la mesure où les enfants régressaient à l'interruption du traitement (Lovaas *et al.*, 1973). Depuis, l'approche comportementale a évolué dans le sens d'un travail systématique sur la généralisation et la consolidation des acquis par une diversification des milieux d'apprentissage (Rogé, 1993 ; Rogé *et al.*, 1997). De ce fait, les résultats annoncés sont nettement plus encourageants et montrent que l'intervention précoce peut modifier sensiblement le pronostic (Mc Eachin *et al.*, 1993 ; Rogers, 1996). Dans la lignée de ces travaux mais avec l'apport spécifique de la neurophysiologie s'est développée depuis quelques années en France la thérapie d'échange et de développement (TED). Elle a pour but de soutenir le développement des grandes fonctions sensori-motrices en vue de leur utilisation dans un contexte où elles deviendront fonctionnelles (Barthélemy *et al.*, 1995 ; Adrien, 1996).

Chapitre 10

L'INTERVENTION PRÉCOCE ET L'ACCOMPAGNEMENT INDIVIDUALISÉ

L'INTERVENTION PRÉCOCE

Le diagnostic d'autisme se fait maintenant de plus en plus tôt. L'impact du repérage rapide des troubles est déterminant car l'intervention précoce conditionne largement l'évolution ultérieure.

Bien que les résultats publiés soient variables, ils indiquent généralement un gain substantiel, perceptible par la suite au niveau des capacités d'adaptation aux structures scolaires ordinaires ou spécialisées. Les premiers travaux sur la prise en charge précoce sont ceux de Lovaas (Lovaas, 1987) et de Strain et collaborateurs (Strain et Hoyson, 1988 ; Strain, Hoyson et Jamieson, 1985). Ces deux équipes ont mis en place des programmes reposant sur l'approche comportementale. Strain et ses collaborateurs ont combiné les techniques comportementales avec une approche développementale et ont pratiqué l'intervention dans le cadre de l'intégration.

Pour ces deux équipes, les résultats sont impressionnants puisque, lorsque les enfants ont bénéficié d'une intervention intensive avant l'âge de 5 ans, environ la moitié d'entre eux rejoint ensuite le cursus scolaire normal (47 % pour Lovaas et 52 % pour Strain et collaborateurs) et n'a plus besoin de suivi. D'autres études portant sur des programmes similaires ont aussi rapporté de bons résultats mais jamais à la hauteur de ceux annoncés dans les premières publications (Olley *et al.*, 1993 ; Fenske *et al.*, 1985).

Les résultats présentés par Lovaas ont donné lieu à des polémiques qui ont probablement renforcé les réticences à l'égard de la prise en considération des effets de l'intervention précoce. C'est surtout l'annonce d'une normalisation possible qui a entraîné le plus de scepticisme et les controverses ont alors porté sur la validité des diagnostics de départ et sur la méthodologie d'évaluation des effets de la thérapie. Par ailleurs, l'approche comportementale mal connue, et sans doute présentée de manière schématique et réductrice a soulevé des réticences importantes en France. Aux États-Unis par contre, les programmes pour enfants d'âge préscolaire se sont beaucoup développés dans le courant des années quatre-vingt (Olley *et al.*, 1993) et l'on dispose maintenant d'évaluations de leurs effets. Dans les revues récentes de cette question (Rogers, 1996 ; Erba, 2000) les résultats des programmes d'intervention sont très positifs. Ces programmes d'intervention précoce s'appuient pour la plupart sur une approche développementale et comportementale. Ils incluent un travail systématique sur les compétences psychomotrices, cognitives et sociales. La réduction des comportements problématiques peut y être envisagée de manière indirecte, c'est-à-dire que l'objectif est le développement de nouvelles capacités qui viendront concurrencer les comportements déviants. Elle peut aussi, dans certains programmes, constituer un objectif plus central. Elle s'appuie alors sur des stratégies de modification du comportement, mais elle ne représente jamais l'essentiel du programme dont l'axe privilégié reste dans tous les cas le travail sur le développement de nouveaux comportements positifs et fonctionnels.

Bien que les modalités de traitement et d'évaluation des résultats varient d'un programme à l'autre, ce qui pose d'évidents problèmes méthodologiques, les résultats obtenus doivent être pris en considération. Ces études ont en effet montré un effet significatif sur le développement avec une augmentation du QI, une amélioration du langage, l'installation de comportements sociaux plus adaptés et une diminution de l'intensité des comportements autistiques chez les enfants pris en charge. De tels résultats sont généralement enregistrés en 1 ou 2 ans d'intervention précoce et intensive. La majorité des enfants pris en charge (73 %) atteint un niveau de langage fonctionnel à la fin de la période d'intervention (en général vers 5 ans). Les acquis réalisés dans tous les domaines du développement ont été préservés après la fin de l'intervention ce qui montre la stabilité des résultats obtenus.

Les bénéfices de l'intervention précoce semblent donc réels et il est important de souligner les facteurs qui déterminent l'évolution positive des enfants. Lorsque la stimulation intervient entre 2 et 4 ans, l'effet obtenu est significativement plus important que lorsque le même type de programme est appliqué plus tardivement (Fenske *et al.*, 1985 ; Lovaas et Smith, 1988). La précocité de l'intervention est donc un paramètre important. Lorsqu'un travail spécifique est effectué pendant au moins 15 heures (et plus) par semaine avec un encadrement très personnalisé pendant une durée d'un à deux ans ou plus, les progrès sont conséquents (Rogers, 1996 ; Luiselli *et al.*, 2000). Dans certains de ces programmes, le recours à des pairs non autistes et aux parents qui reçoivent une formation adaptée permet de prolonger la stimulation dans les différents milieux fréquentés par i'enfant et de développer un apprentissage en milieu naturel qui a plus de chances d'être véritablement fonctionnel. Les résultats des différentes études (Rogers, 1996) montrent aussi que la stimulation précoce et intensive a plus d'effets sur le développement des enfants avec autisme que sur celui des enfants avec d'autres déficits neurodéveloppementaux. Il existe donc très probablement une plasticité spécifique à l'autisme dans la période précoce du développement. Mais l'effet bénéfique de la stimulation est fortement lié à l'adaptation de l'adulte aux particularités de l'autisme et à l'individualisation des procédures (Magerotte, 2001). La focalisation de la stimulation précoce sur les comportements pivot (Koegel *et al.*, 1999*a* ét *b*) permet d'étendre les effets à des domaines qui ne sont pas spécifiquement abordés durant le travail. Le comportement pivot est en effet un élément suffisamment général pour être impliqué dans plusieurs secteurs d'activité. La capacité de réponse à des stimuli variés, la motivation et l'auto régulation du comportement sont les principales réponses pivot spécifiquement retenues par Koegel. D'autres comportements comme l'imitation, l'attention au partenaire social, constituent également des pivots à partir desquels les gains obtenus peuvent être démultipliés. Le travail précoce sur de tels éléments du répertoire comportemental peut avoir un effet positif sur l'évolution à long terme (Koegel *et al.*, 1999*b*). L'apprentissage incident, réalisé dans l'environnement naturel est plus efficace car il sollicite davantage la spontanéité de l'enfant, sa motivation propre et renforce l'aspect fonctionnel des comportements qui sont en prise directe avec les contraintes de la vie quotidienne (McGee *et al.*, 1999). De ce fait, l'approche qui reposait sur l'application des principes du condition-nement opérant dans le cadre de sessions de travail spécifiquement organisées pour cela tend à être remplacée par le renforcement des tentatives spontanées de l'enfant pour communiquer ou pour se comporter spontanément dans son milieu de vie. L'apprentissage en milieu naturel suppose l'implication forte des parents et de tout l'environnement proche car c'est dans sa famille, et par extension dans ses lieux de vie habituels que l'enfant pourra développer des initiatives que l'on s'efforcera de soutenir et de développer en les renforçant.

Les principaux facteurs déterminants pour une bonne évolution étant cernés, il reste à mieux connaître les processus mis en jeu dans l'intervention précoce. Le phénomène de plasticité cérébrale d'abord étudié de manière expérimentale chez l'animal a été illustré dans l'espèce humaine par des études utilisant les techniques non invasives d'imagerie (Courchesne *et al.*, 1995 ; Gressens, 2001). Si la plasticité cérébrale permet d'envisager la possibilité de suppléan-ces ou d'atténuation des anomalies avec une stimulation précoce, elle ne peut être à l'origine d'une restauration totale des fonctions. Les troubles du développement sont en effet caractérisés par leur impact d'autant plus profond et d'autant plus envahissant qu'ils sont précoces et induisent en conséquence d'autres perturbations dans le développement du système nerveux. Il n'en reste pas moins que les chances de solliciter positivement les structures cérébrales en déve-loppement sont d'autant plus grandes que l'intervention est précoce et se situe dans la période critique. Sur le plan du comportement, les retards et déviances dans le développement empêchent les appren-tissages ou compromettent leur qualité dans la mesure où ils modi-fient l'expérience. Les déviances sensorielles peuvent par exemple générer des réponses aberrantes à l'environnement (attention sélec-tive à certains aspects au détriment d'autres, absence de liaison entre les différentes modalités sensorielles…). Les déviances socia-les privent l'enfant de la stimulation dans ce domaine et de son impact si déterminant sur l'évolution cognitive et affective. L'enfant qui ne dirige pas son attention vers les partenaires sociaux, qui ne recherche pas chez eux les indices pour comprendre l'environne-ment ou qui ne reproduit pas les comportements observés chez autrui manque des étapes décisives de son développement. De même l'enfant qui ne s'engage pas socialement ne peut saisir l'importance de la communication. Il n'entre pas dans les premières formes d'échanges qui constituent pourtant le préalable à l'installation du langage et des autres types de communication. Le travail précoce sur des cibles comportementales bien sélectionnées est donc susceptible de relancer certains aspects du développement en corrigeant les anomalies enregistrées au niveau des fonctions de base. À ce niveau il convient également de prendre en compte les limites possibles de l'intervention. En dépit de la correction possible de certains comportements pivot, le style autistique persiste le plus souvent et des mesures spécifiques d'éducation restent utiles dans le prolongement de la période précoce du développement pour accompagner l'enfant dans sa progression et lui donner tous les outils de la communication et de l'adaptation sociale.

Les connaissances actuelles dans le domaine biologique ou psychologique plaident donc en faveur d'un travail précoce sur les fonctions défaillantes, avec l'objectif de limiter les effets envahissants de l'autisme. Il reste cependant à conduire des études sur des échantillons de population plus larges et en s'appuyant sur une méthodologie la plus rigoureuse possible pour apporter la preuve indiscutable des effets de l'intervention précoce intensive (Kasari, 2002). Les enjeux sont de taille car intervenir tôt signifie corriger au moins partiellement le développement et donner une base plus solide aux apprentissages ultérieurs. C'est aussi permettre l'installation plus rapide d'une communication sociale fonctionnelle pour accompagner les enfants qui le peuvent vers le langage. C'est enfin contribuer à l'amélioration de la qualité de vie de l'enfant et de sa famille. Au-delà de ces enjeux qui en soi devraient être suffisants pour justifier l'intervention précoce, des enjeux socio-économiques sont également à considérer car limiter les effets envahissant de l'autisme c'est aussi modérer les coûts de prise en charge ultérieure pour la collectivité. Les enjeux de la prise en charge précoce dans l'autisme sont donc multiples et ils touchent à la fois le plan individuel, familial et social.

L'ACCOMPAGNEMENT INDIVIDUALISÉ POUR L'INTÉGRATION

L'éducation des personnes autistes permet d'améliorer l'intégration sociale et donc la qualité de vie de tous. Mais intégrer n'est pas seulement confronter à la difficulté, pousser en avant et demander à la personne autiste de dépasser les obstacles. L'intégration suppose la mise en place d'un dispositif d'aide et l'accompagnement est l'un des outils indispensables à la réussite. Cet accompagnement permet en effet de préparer le milieu d'accueil, d'adapter les situations pour faciliter l'apprentissage, d'aider à la gestion des difficultés de tous ordres et de favoriser le développement de relations sociales avec l'entourage. L'accompagnement se développe beaucoup à l'heure actuelle pour les enfants grâce à l'appui des auxiliaires de vie scolaire mais il peut aussi être mis en place dès l'accès de l'enfant à un lieu de vie en collectivité. Pour les très jeunes enfants par exemple, la crèche est déjà le premier lieu de l'intégration et l'accompagnement à ce niveau permet de soutenir les premiers échanges avec les pairs et d'aider l'enfant à s'adapter progressivement à la vie sociale en dehors de la famille.

Les mesures éducatives mises en place dans l'enfance trouvent tout naturellement leur prolongement à l'adolescence et à l'âge adulte et l'insertion dans le monde du travail devrait confirmer la volonté d'intégration sociale.

L'intégration professionnelle des jeunes adultes autistes nécessite comme pour les enfants, des adaptations sans lesquelles les difficultés de compréhension de l'environnement et les problèmes d'ajustement social s'expriment dans des comportements problématiques qui sont source de souffrance et de rejet. Dans le cas de l'intégration des adultes, la préparation du milieu est également déterminante. Elle permet de considérer le degré d'adaptation possible des emplois proposés, et d'évaluer la capacité de l'environnement à soutenir l'intégration de la personne autiste en coopérant avec l'équipe de professionnels intervenant lors de la première phase de mise au travail. La personne autiste s'adapte d'autant mieux qu'elle bénéficie d'une supervision modulable en fonction de ses besoins et de ceux de l'entreprise qui l'accueille. L'objectif des programmes d'accompagnement est de donner accès au monde du travail en préparant la réussite pour obtenir la valorisation de la personne sur le plan social et son intégration plus large dans la communauté sociale. Cela suppose la mise en place d'un partenariat entre l'entreprise, la famille et les professionnels spécialistes de l'autisme. La première démarche est la prospection d'entreprises susceptibles d'offrir un terrain d'intégration. Lorsque le lieu d'intégration est déterminé, la préparation s'effectue au niveau de la personne autiste et au niveau de l'entreprise. Une information sur l'autisme permet une meilleure compréhension mutuelle et un recul des appréhensions liées à la méconnaissance.

L'insertion dans le milieu professionnel se fait ensuite avec un accompagnateur dont la présence permet d'apprendre les gestes professionnels dans le contexte de l'entreprise et d'améliorer les comportements sociaux. Un tuteur appartenant à l'entreprise se substitue progressivement à l'accompagnateur pour continuer la guidance sur le plan professionnel et pour favoriser l'établissement de liens sociaux de type adulte en milieu de travail. L'autonomisation pour les tâches professionnelles s'effectue progressivement. Par ailleurs sont organisées d'autres activités permettant de prolonger les apprentissages sociaux en dehors des temps de travail, de développer l'autonomie et d'apprendre la gestion des temps de loisirs.

Chapitre 11

LA PRÉVENTION ÉDUCATIVE ET LE PARTENARIAT

L'ÉDUCATION EST UNE MESURE DE PRÉVENTION

Le développement récent de la psychologie de la santé met à l'ordre du jour les préoccupations pour la qualité de vie et le bien être des personnes. Ces concepts sont valables pour toutes les catégories de population et prennent un intérêt tout particulier dans le domaine du handicap. Au-delà de la simple « remédiation » qui procure aux enfants porteurs de handicaps les soutiens nécessaires à leur adaptation, se profile donc une attitude plus exigeante qui consiste à plaider pour le confort de leur vie et leur épanouissement.

Dans cet ordre d'idées, l'éducation spéciale pour les enfants autistes est conçue dans l'optique très large d'une démarche qui contribue à pallier les déficits, mais aussi à prévenir les complications découlant du handicap, à soutenir le développement et à promouvoir la qualité de la vie. L'éducation a donc toute sa place dans l'approche pluridisciplinaire actuellement préconisée en matière de troubles du développement.

L'intervention éducative, menée en tenant compte des particularités de la personne avec autisme est préventive à plusieurs niveaux.

Prévention dans le développement

Le problème de développement d'origine neuropsychologique induit des effets en cascade et la précocité des désordres est à l'origine de décalages dans la mise en place de fonctions de base : le développement est généralement retardé à l'exception d'îlots de compétences rarement fonctionnels. Par ailleurs interviennent des biais dans les stimulations et expériences qui sous-tendent le développement du potentiel. Des distorsions peuvent aussi se produire dans les apprentissages.

Ces difficultés qui marquent les premières étapes du développement pèsent lourdement sur la suite de l'évolution. En particulier, le faible engagement dans les relations sociales conduit probablement l'enfant à manquer certaines opportunités d'apprentissage qui se présentent dans son environnement naturel. On connaît l'importance du partenaire social dans le développement des liens sociaux mais aussi dans le développement cognitif. Le partenaire social fournit un modèle pour les comportements d'imitation, il constitue aussi la référence pour apprendre à décoder l'environnement et y réagir. Il est aussi le partenaire de communication par qui passent l'échange et les expériences de partage qui permettent de développer la théorie de l'esprit.

Un travail précoce et ciblé sur les interactions sociales participe donc à la stimulation du développement sur tous les plans puisque les dimensions cognitive et relationnelle sont très intriquées. Mais la seule stimulation des compétences sociales n'est pas suffisante car les difficultés dans les apprentissages de base ne se limitent pas à cette dimension. C'est donc très tôt qu'il convient de solliciter l'enfant par une approche éducative spécifique. L'intervention précoce peut avoir un impact tout à fait décisif sur la suite du développement. Encore faut-il cibler correctement les dimensions à stimuler. À cet égard, les réflexions sur les comportements pivot et sur l'apprentissage incident sont porteuses de nouvelles pistes. Le choix des compétences pivot dont la mise en place a des répercussions sur les dimensions qui ne sont pas directement travaillées est en effet déterminant. Parmi les comportements pivot, l'attention aux stimulations, la capacité de transposer à d'autres contextes, la régulation de son propre comportement sont des compétences de base, suffisamment intriquées aux autres aspects du comportement pour que des progrès à leur niveau puissent engendrer des effets très larges et ce, d'autant plus que le travail sur de telles dimensions se fait en milieu naturel.

Prévention des troubles du comportement

À des stades plus tardifs de développement et lorsque la pathologie est très installée, l'approche éducative structurée limite généralement la survenue de troubles du comportement et ce, de plusieurs façons. D'une manière très simple, la réduction des temps d'oisiveté peu propices à l'épanouissement parce que générateurs d'angoisse, limite les troubles du comportement. Dans les situations d'apprentissage, l'aménagement de l'environnement pour un meilleur décodage de l'information, la prise en compte des particularités sensorielles et cognitives participe au confort de l'enfant et suscite plus facilement sa participation. L'apprentissage de comportements fonctionnels, transposables dans le milieu de vie, confère du sens à ce que l'on demande à l'enfant et l'aide à s'engager de manière volontaire dans ce qui lui est proposé. De même, l'apprentissage de l'autonomie restaure le sentiment de contrôle sur sa propre vie et l'image que l'enfant développe de lui-même est plus positive. Enfin, l'accès à la communication rend moins probable la survenue d'épisodes de troubles du comportement liés à la frustration de ne pas comprendre ou de ne pas pouvoir se faire comprendre.

Prévention de l'isolement

La sollicitation de l'enfant de préférence à une attitude attentiste qui a pu prévaloir autrefois est de nature à permettre le développement d'outils de communication que l'enfant utilisera d'autant plus souvent que lui sera donnée l'occasion de partager une vie sociale avec d'autres enfants. L'intégration sociale est en effet l'objectif ultime. Il ne s'agit pas d'éduquer un enfant pour qu'il s'adapte à une structure spécifique, mais pour qu'il puisse participer selon ses moyens aux ressources offertes par la communauté sociale. Le but de l'éducation est donc bien la mise en œuvre des compétences acquises en milieu naturel par le biais de l'intégration.

Prévention des complications psychologiques (comorbidité psychiatrique)

Les importantes difficultés d'adaptation liées directement à l'autisme ne doivent pas faire occulter le fait que d'autres pathologies lui sont souvent associées. Dans le domaine psychologique, les troubles de l'humeur constituent une complication probablement plus fréquente qu'il n'y paraît parce que les personnes autistes ont peu de moyen d'exprimer leur dépression. Même chez les autistes dits de « bas niveau » cette dimension existe probablement et s'exprime dans certains désordres massifs du comportement. Chez les autistes ayant de meilleures capacités d'expression, l'humeur dépressive ne s'exprime pas toujours dans les formes habituelles mais peut transparaître dans d'autres troubles (angoisses, obsessions-compulsions). L'éducation qui apporte des outils de communication et d'adaptation sociale peut réduire les mouvements dépressifs en donnant à la personne davantage d'opportunités de réalisation personnelle et d'épanouissement. Certes, elle ne peut gommer toutes les difficultés et il reste à prendre en compte cette dimension par une approche thérapeutique appropriée.

L'éducation de l'enfant autiste constitue donc l'un des axes majeurs d'une prise en charge efficace. La mise en œuvre précoce de mesures éducatives appropriées peut restaurer au moins partiellement l'enchaînement de séquences de développement et prévenir ainsi les complications ultérieures et le surhandicap. Dans la suite du développement, l'organisation d'un environnement confortable pour apprendre et pour interagir socialement participe amplement à la diminution du stress et à l'activation des compétences. Le développement de la communication et de l'autonomie permet un meilleur accès aux ressources de la communauté sociale, contribue au développement d'une image de soi plus valorisée et limite les risques de troubles psychopathologiques secondaires au handicap.

L'éducation dans le cadre d'une approche pluridisciplinaire qui combine harmonieusement l'approche médicale, psychologique, sociale et éducative représente donc une mesure de prévention pour l'enfant et son entourage. Elle contribue à la qualité de vie et au bien-être de chacun, qu'il s'agisse de l'enfant lui-même, de sa famille ou des professionnels qui les entourent.

Le partenariat avec les familles

Les stéréotypes qui s'attachent aux parents

Les stéréotypes qui s'attachent aux parents ont la vie dure. Même si les professionnels avertis n'acceptent plus aujourd'hui l'idée selon laquelle les familles sont responsables de l'autisme, il n'est pas rare de voir resurgir les vieux poncifs dès qu'une difficulté se fait jour. C'est probablement l'indice de la persistance sous-jacente d'un modèle dans lequel les parents ne peuvent pas être traités comme de véritables partenaires. Parmi les stéréotypes encore actifs de nos jours, on trouve que les parents contribuent au problème de l'enfant, que les spécialistes savent toujours mieux et en toutes circonstances que les parents et qu'en conséquence les familles doivent avoir aveuglément confiance, que les familles doivent être reconnaissantes pour les services offerts, que les parents ont des attentes irréalistes, qu'ils ne veulent pas accepter le handicap et se projettent dans un avenir idéal, qu'ils ont besoin des professionnels pour résoudre tous leurs problèmes au quotidien. La liste peut encore être complétée par les présupposés suivants : tous les parents ont besoin d'une psychothérapie, si les relations entre parents et professionnels ne sont pas bonnes, c'est la famille qui est en faute, la famille est dysfonctionnelle à cause de l'enfant autiste.

Bien sûr, certains aspects de ces stéréotypes correspondent partiellement à la réalité. Le fait que les parents aient des attentes irréalistes se rencontre évidemment à certaines étapes du développement de l'enfant. Il est légitime que le parent se projette dans l'avenir avec optimisme s'il veut pouvoir maintenir l'impulsion et la motivation au quotidien. Constater des ambitions trop grandes appelle de la part des professionnels une réponse d'ouverture et de compréhension assortie d'un réajustement des attentes, tout en respectant l'espoir. Si par exemple un parent demande à ce que l'on apprenne à lire à un enfant dont on sait qu'il n'a pas atteint le niveau de développement requis pour cela, cet objectif ambitieux sera accueilli positivement et avec compréhension. L'attention de l'adulte sera réorientée vers des objectifs plus proches et plus réalistes comme la reconnaissance de photos ou d'images, l'appariement de formes puis de lettres, et la lecture sera présentée comme un objectif plus lointain dont on ne peut pas encore apprécier la faisabilité. Ce type d'attitude ouverte et la capacité à faire des propositions d'objectifs intermédiaires aboutissent généralement à une prise en compte par les parents du point de vue avancé et à un renforcement de la collaboration. Le travail dans le domaine de l'autisme conduit aussi à la modestie et à la prudence par rapport aux jugements que l'on pourrait formuler hâtivement face à ce qui est rapporté par les familles. Il n'est pas rare qu'un parent décrive un comportement *a priori* invraisemblable et que l'on constate ensuite qu'effectivement l'enfant manifeste des compétences plus grandes que celles que l'on a perçues, dans d'autres contextes que celui de l'évaluation. Certes, ces compétences ne sont pas vraiment installées de manière durable si elles ne s'expriment que dans la famille, mais elles constituent l'indice d'une émergence sur laquelle s'appuyer pour obtenir la généralisation de ce comportement.

D'une manière générale, les stéréotypes énoncés ci-dessus sont pour la plupart des préjugés qui empêchent l'établissement d'un véritable partenariat entre les professionnels et les parents.

Les nouvelles attitudes à l'égard des parents

Heureusement, les connaissances actuelles de l'autisme permettent de réajuster ces conceptions et d'adopter d'autres perspectives de travail avec les familles. La reconnaissance de la participation de facteurs biologiques conduit à une approche différente de la famille. Les parents ne sont plus perçus comme responsables des troubles mais ils sont restaurés dans leur fonction parentale. Le besoin pour l'enfant du soutien émotionnel de sa famille et son besoin de la stimulation apportée dans le cadre de la famille sont reconnus et intégrés à la démarche de soutien. La légitimité des demandes des parents qui sont les usagers de services devrait donc être acceptée. Les parents connaissent bien leur enfant et les professionnels ont tout à gagner à collaborer avec eux pour identifier les besoins des enfants, définir les objectifs et mettre en place les soutiens nécessaires à l'épanouissement de l'enfant. Les besoins de la famille sont également à prendre en compte et des services adaptés doivent être prévus pour elle comme pour l'enfant atteint d'autisme.

De cette nouvelle perception de la famille découle la reconnaissance de la nécessaire implication des parents.

Les parents sont en effet les premiers concernés par l'éducation de leur enfant et l'on sait que leur implication « éclairée » entraîne chez l'enfant l'augmentation des comportements appropriés, la diminution des troubles du comportement, la généralisation des bénéfices tirés des différentes interventions, le maintien des progrès dans le temps, et la réduction des placements institutionnels injustifiés.

L'implication des parents est souhaitable au niveau du diagnostic, de l'évaluation et de la mise en place des services. Elle est aussi importante pour le suivi des actions mises en œuvre.

À un niveau plus général, l'implication des familles est essentielle pour faire progresser la reconnaissance des besoins des personnes atteintes d'autisme et aider au développement de réponses adaptées de la part de la communauté sociale.

Chapitre 12

PSYCHOTHÉRAPIE ET TRAITEMENTS BIOLOGIQUES

PSYCHOTHÉRAPIE

Les programmes éducatifs n'excluent pas la dimension psychologique dans la mesure où leur mise en œuvre se fait grâce à l'action d'équipes pluridisciplinaires. Cependant, les méthodes utilisées pour le soutien psychologique doivent rester très pragmatiques et être ajustées au type de fonctionnement cognitif des autistes. En ce sens, les thérapies interprétatives sont peu adaptées, même pour les personnes qui, se situant à l'extrémité du spectre autistique développent un langage de qualité. Ce type de psychothérapie peut non seulement s'avérer sans véritable effet, mais il peut entraîner un accroissement des symptômes et une fragilisation de la famille (Wolff, 1995). On lui préférera donc une approche dans laquelle le thérapeute adopte une attitude non intrusive de soutien, en travaillant essentiellement sur la reconnaissance des problèmes, sur les solutions pour les contourner, sur le développement de compétences sociales, et sur l'estime de soi de la personne atteinte d'autisme (Lord, 1996).

La meilleure compréhension du syndrome autistique et la prise en compte des caractéristiques propres à l'autisme ont fait évoluer les traitements de l'autisme vers l'éducation et la modification du comportement. Au lieu des psychothérapies supposées entraîner une ouverture sociale propice aux apprentissages, l'orientation éducative préfère engager la personne autiste dans la communication par l'apprentissage des outils de la communication, et lui apporter les éléments de son autonomie par des acquisitions organisées en fonction du niveau de développement et proposées dans un environnement aménagé pour faciliter la réussite, la motivation, et donc la progression.

Sur ce terrain, l'approche comportementale a trouvé de nombreuses applications (Howlin et Rutter, 1987 ; Howlin 1998) car elle s'est avérée appropriée pour l'apprentissage de nouveaux comportements et pour la diminution des problèmes de comportement. L'approche très expérimentale du départ s'est progressivement enrichie et modifiée pour tenir compte des particularités des personnes autistes (Rogé, 1993). Il a fallu par exemple inclure la procédure de généralisation dans les programmes et aller vers des apprentissages plus fonctionnels et situés dans leur contexte écologique pour que les acquisitions puissent se transposer aux situations de la vie quotidienne.

L'intérêt pour la dimension cognitive s'est beaucoup développé dans le traitement d'autres types de pathologie. Dans le domaine de l'autisme, la recherche s'est beaucoup orientée vers les aspects cognitifs mais peu d'applications thérapeutiques en ont découlé et ceci en raison même de la nature des problèmes cognitifs présentés par les personnes autistes. L'expérience clinique montre en effet que les personnes autistes ont un style cognitif rigide qui se prête peu au type de travail réalisé en thérapie cognitive. Ce type de travail se situe à deux niveaux. La compréhension et l'interprétation de la situation d'une part, et l'ajustement du comportement en fonction de la situation d'autre part. Le but de la thérapie est d'enseigner de nouveaux processus cognitifs. Le sujet doit apprendre à prendre conscience de son fonctionnement cognitif et de l'écart possible entre ses cognitions et la réalité, à faire le lien entre ses perceptions et interprétations de la réalité et ses réactions émotionnelles ou comportementales, à modifier ses perceptions et interprétations (rechercher des cognitions alternatives, corriger les distorsions, assouplir ses schémas).

Tous ces aspects requièrent une souplesse de fonctionnement à laquelle accèdent difficilement les personnes atteintes d'autisme. Même chez les personnes ayant de bonnes capacités intellectuelles mesurées par des tests standardisés, il existe des difficultés avec un répertoire de comportements pauvre, une difficulté à « activer » les comportements lorsqu'ils sont nécessaires, une difficulté à se représenter ce que les autres peuvent penser, croire ou ressentir, un langage qui comporte des particularités et qui n'est pas toujours nuancé. Par ailleurs, il existe des problèmes pour adapter son comportement en fonction de données non prévues avec une difficulté à évaluer correctement une situation, à envisager plusieurs alternatives pour retenir une solution et en changer lorsqu'elle s'avère inefficace. Ces difficultés sont liées à des problèmes de représentation sociale et à des anomalies dans l'ajustement, la planification des actions en fonction d'un contexte mouvant et la régulation des émotions. Avec de telles limites, le travail cognitif est relativement limité avec les personnes autistes.

Pourtant, on ne peut considérer que les anomalies cognitives constatées chez les autistes représentent des caractéristiques fixées une fois pour toutes et immuables. D'une part, les compétences défaillantes ne fonctionnent pas par tout ou rien. Elles peuvent être partiellement présentes. D'autre part, ces compétences sont susceptibles de se développer du fait d'une maturation mais peut-être aussi d'un apprentissage en fonction des situations rencontrées (Ozonoff et Mc Evoy, 1994), même s'il y a des limites à cet apprentissage. Enfin, il semble qu'avec des aménagements des techniques habituellement employées un certain travail cognitif pourrait être réalisé (Lord, 1993 ; Hare, 1997). Cependant, l'absence de programmes clairement systématisés fait que l'on ne dispose pas de données sur l'éventuelle efficacité de ces techniques et que l'on ne peut évaluer avec précision la transposition des apprentissages réalisés dans les situations de la vie quotidienne. Les seules publications existant dans le domaine portent sur de très petites populations et même le plus souvent sur des cas uniques.

Le travail comportemental avec la personne atteinte d'autisme se situe dans un partenariat avec les professionnels qui l'encadrent habituellement et avec sa famille. Il s'agit de faire comprendre le fonctionnement particulier sur le plan cognitif et social, d'accompagner la mise en place de stratégies éducatives adaptées et d'aider la famille à gérer le cursus scolaire ou professionnel. Ces mesures permettent de réaliser une prévention au moins partielle des difficultés d'adaptation et des troubles du comportement. La même approche permet de gérer les problèmes qui surviennent au quotidien en dépit des adaptations mises en place. Le comportement de la personne fait alors l'objet d'une observation minutieuse qui permet de réaliser l'analyse fonctionnelle à partir de laquelle sera arrêté un plan d'intervention dont les effets seront évalués. Ce travail au niveau comportemental est complété par la dimension cognitive dès que la personne concernée a le niveau requis pour y accéder. Une première approche est l'entraînement aux habiletés sociales. Sur un premier plan, la personne est entraînée à reconnaître et à comprendre les émotions. Ce travail se fait généralement à l'aide de supports visuels sous forme d'images, de photos ou de vidéos. Un travail complémentaire est effectué par l'apprentissage de comportements à adopter et à mettre en œuvre dans le bon contexte social. Les instructions directes s'appliquent sur les séquences du comportement à apprendre. Il s'agit de rendre l'apprentissage interactif et de donner du feed-back à toutes les étapes pour permettre l'ajustement. Les bandes dessinées peuvent servir de support pour construire les éléments de conversation, pour apprendre à relier le comportement des autres personnes à des contenus de pensée ou à des émotions. Ces apprentissages sont ensuite rendus fonctionnels par leur mise en scène dans le cadre de jeux de rôle. Les histoires sociales (Gray, 1992, 1994) sont utilisées pour travailler le choix du comportement et développer des stratégies adaptées. Des exemples d'histoires sociales existent mais il est important que pour une personne donnée les histoires soient composées à partir d'éléments personnels. Ces histoires sont rédigées dans un style simple et direct et comportent des phrases descriptives définissant la situation, les personnes qui y sont impliquées, ce qu'elles font et pourquoi. Ces histoires présentent aussi un autre aspect plus élaboré qui a trait aux réactions et émotions des autres. Elles vont servir de support pour l'apprentissage des comportements sociaux adaptés, tenant compte du contexte et des réactions des autres.

Les différents types de support peuvent être combinés dans des programmes spécifiques dans lesquels la personne apprend des éléments de comportement, apprend à repérer les options qui s'offrent à elle en fonction de la situation, à tester l'efficacité, à arrêter son choix et à définir sa stratégie qui est finalement mise en scène dans un jeu de rôle. Le guidage et le feed-back du thérapeute l'aident à progresser vers les comportements plus appropriés. Pour l'intégration des compétences acquises au répertoire de comportements, la vidéo fournit des modèles à imiter et permet de visualiser les tentatives d'imitation pour les corriger progressivement. Les films fournissent des modèles positifs à imiter mais ils offrent aussi des exemples d'erreurs sociales qui font l'objet d'une analyse critique mettant en exergue les comportements à éviter. Les scripts sociaux constituent des sortes de guide sur l'enchaînement des conduites à adopter dans telle ou telle situation. Enfin, cet entraînement ne peut prendre tout son sens que si l'intégration sociale donne des opportunités à la personne d'essayer les comportements appris et de les améliorer au contact des autres.

L'auto contrôle est une autre dimension essentielle. La personne apprend à prendre conscience de son niveau d'éveil en repérant les manifestations sur le plan sensoriel, puis elle développe les stratégies de contrôle comme l'isolement, la respiration, la relaxation ou le recours à une activité stéréotypée de manière discrète et acceptable socialement.

Enfin, le travail sur l'estime de soi se fait par différentes approches. La personne peut être placée en position de tuteur pour enseigner à d'autres une compétence qui est bien développée chez elle. L'accent est placé dans le discours sur ce que la personne réussit, sur ses points forts. La personne elle-même apprend à être attentive aux renforcements sociaux et à s'autorenforcer.

Même s'il existe des limites au travail cognitif et comportemental avec les personnes autistes en raison de leur manque de flexibilité, de leurs difficultés à transposer les acquis dans d'autres situations et de leur lenteur d'intégration, des modifications intéressantes peuvent être obtenues par cette approche. Les difficultés rencontrées nécessitent de la part du thérapeute des capacités d'anticipation qui lui permettent d'évaluer les problèmes possibles en raison d'une application trop littérale de ce qui a été appris en thérapie. L'entraînement cognitif devrait être inclus aux programmes éducatifs de manière plus systématique. Les nouveaux travaux sur la théorie de l'esprit ouvrent maintenant des perspectives de traitements plus élaborés (Baron-Cohen et coll., 1998).

Les personnes avec autisme apprennent lentement mais elles peuvent aussi apprendre patiemment pendant une période prolongée et les gains obtenus facilitent leur insertion et leur valorisation dans le groupe social. Ce type de technique contribue donc largement à une meilleure adaptation et à un plus grand confort de fonctionnement dans la vie quotidienne.

LES TRAITEMENTS BIOLOGIQUES

L'utilisation des traitements médicamenteux dans l'autisme n'a évidemment pas une visée curative, mais elle correspond plutôt à la recherche d'un contrôle des troubles du comportement entravant l'adaptation (Mc Dougle et coll., 1994 ; Chabrol et coll., 1996 ; Lewis, 1996).

Dans un premier temps, les neuroleptiques ont surtout été utilisés de manière empirique et pour leur effet sédatif qui permettait de réduire l'agitation et l'agressivité. En contrepartie, on enregistrait une diminution de la vigilance nuisant à l'engagement social et aux apprentissages. À partir de l'hypothèse d'un dysfonctionnement du système dopaminergique, des neuroleptiques comme l'halopéridol, utilisés à faible dose, ont été testés dans le cadre d'études contrôlées pour leur effet probable dans un sous-groupe d'autistes. Cette molécule s'est montrée efficace puisqu'elle entraîne une diminution des stéréotypies, de l'hyperactivité, de la manipulation inadéquate des objets, des réactions coléreuses et qu'elle atténue la labilité des affects. Elle augmente aussi les capacités d'apprentissage discriminatif. Cependant, ce type de substance n'est pas sans entraîner aussi des effets secondaires, et la survenue fréquente de dyskinésies tardives en limite beaucoup l'usage pour le réserver à des cas de troubles sévères et résistants à d'autres thérapeutiques. Les neuroleptiques désinhibiteurs pour lesquels le risque d'induction de dyskinésies tardives est moins grand atténuent l'hypoactivité et accroissent l'intérêt à l'égard de l'environnement.

L'effet des médicaments susceptibles d'influer sur le système sérotoninergique a également été testé en raison de l'augmentation fréquente de la sérotonine sanguine ou plaquettaire enregistrée chez environ un tiers des autistes. La fenfluramine a montré des effets dans le sens d'une diminution de l'hyperactivité, de l'amélioration au niveau des capacités d'attention, du langage, de la communication et de l'intérêt plus adapté pour les objets. Mais les premières études n'ont pas toujours été confirmées. Par ailleurs, même pour les enfants répondeurs chez lesquels une amélioration avait été enregistrée, l'effet à long terme n'est pas maintenu et des troubles secondaires comme la perte d'appétit ont été signalés. La clomipramine a quant à elle une efficacité connue dans les phénomènes obsessionnels. Les rituels des autistes et leur focalisation sur un centre d'intérêt restreint présentant souvent des similitudes avec les comportements obsessionnels, cette substance a été essayée dans l'autisme. Elle s'est avérée efficace au niveau des rituels et des stéréotypies et semble bien tolérée. Cependant, dans un cas, elle a été à l'origine d'une dégradation du comportement avec une augmentation de l'hétéroagressivité et des automutilations (Krabe et coll., 1994).

L'hypothèse d'un dysfonctionnement opiacé dans l'autisme a conduit à tester les effets de la naltrexone, antagoniste des opiacés, sur des enfants autistes automutilateurs et retardés mentaux. Un double effet a été enregistré avec une diminution des automutilations et une amélioration des contacts sociaux (Leboyer *et al.*, 1993). Les résultats des premières études ont été confirmés par la suite et la naltrexone semble donc être un produit efficace pour améliorer l'attention, l'intérêt pour les stimuli sociaux, l'adaptabilité sociale et l'utilisation appropriée des objets. L'utilisation de cette molécule reste cependant à un stade expérimental car des paramètres concernant les sous-groupes de sujets répondants et les effets à long terme restent à préciser.

Les traitements biologiques sont également indiqués lorsqu'une pathologie spécifique est associée à l'autisme (Guérin, 2002). Dans le cas d'épilepsie, ce qui est relativement fréquent, les médicaments sont utilisés pour leurs effets anticomitiaux mais aussi comme régulateurs de l'humeur. Le lithium est d'ailleurs lui aussi indiqué parfois pour la régulation des troubles thymiques.

Les troubles digestifs ont été récemment mis en exergue et l'hypothèse de leur impact sur le développement précoce des structures cérébrales a été émise. L'effet toxique de certaines substances étant supposé, leur éviction dans le cadre d'un régime restrictif est donc proposée. Il s'agit le plus souvent de régimes sans gluten ou sans caséine. L'effet de ces régimes est encore très discuté mais certaines familles ont rapporté des effets intéressants. Il reste à conduire des études rigoureuses sur le plan méthodologique pour être en mesure d'affirmer ou d'infirmer la validité de ces pratiques. Le fait que ces régimes sont très contraignants pour l'enfant et pour l'entourage est à prendre en considération lorsqu'une famille souhaite tester cette approche dont les résultats ne sont pas assurés.

Le fait que la prudence s'impose dans ce type de choix des traitements est illustré par l'enthousiasme qu'avait soulevé l'observation sur quelques cas de l'amélioration du comportement apparemment engendrée par l'injection de sécrétine à l'occasion d'investigations médicales. Les études contrôlées n'ont pas confirmé l'effet positif de la sécrétine (Corbette *et al.*, 2001 ; Roseman *et al.*, 2001).

PARTIE 5

ORGANISER LES PROGRAMMES

Chapitre 13

LE PROGRAMME TEACCH

Qu'est-ce que le programme TEACCH ?

La Division TEACCH (*Treatment and Education of Autistic and Related Communication Handicapped Children* : Traitement et éducation des enfants avec autisme et autres handicaps de la communication), créée aux États-Unis il y a maintenant plus de trente ans a été reconnue officiellement comme programme d'État en 1972. Depuis cette date, la Caroline du Nord offre donc un ensemble de services aux personnes autistes et à leur famille en proposant un suivi qui commence au moment du diagnostic et se poursuit jusqu'à l'âge adulte. L'éducation adaptée aux particularités des personnes autistes est considérée comme l'outil essentiel à la progression vers l'autonomie et au bien-être à toutes les étapes de la vie. Les parents sont étroitement associés au travail réalisé puisqu'ils sont impliqués au quotidien dans la prise en charge de leur enfant. Le professeur Eric Schopler qui est psychologue est le fondateur de la Division TEACCH dont il a assuré la direction durant de nombreuses années. C'est maintenant le professeur Gary Mesibov, psychologue également, qui dirige ce programme après avoir été longtemps le principal collaborateur d'Eric Schopler. Le programme TEACCH représente un modèle au niveau international et de nombreux pays l'ont repris avec succès. TEACCH n'est pas simplement une méthode comme certains esprits réducteurs se plaisent à le présenter. Il s'agit d'un vaste programme d'État qui s'efforce de répondre le plus complètement possible aux besoins des personnes atteintes d'autisme.

Histoire du programme TEACCH

Au début des années soixante, l'autisme était considéré aux États-Unis comme un trouble émotionnel survenant en réaction à des sentiments inconscients d'hostilité et de rejet de la part de la mère. Le milieu étant jugé pathogène, le traitement supposait comme préalable la séparation de l'enfant et des parents. La prise en charge s'effectuait ensuite sous forme de psychothérapie d'orientation psychanalytique. À ce stade d'évolution des connaissances, l'axe thérapeutique était fortement privilégié et ce, au détriment de l'axe éducatif. Les enfants étaient orientés vers des structures de soin et, du même coup, exclus des écoles publiques.

Après obtention de son diplôme de psychologie à l'université de Chicago, Eric Schopler fut intégré à un projet de thérapie de groupe psychanalytique dans le cadre du département de psychiatrie de l'école de médecine à l'université de Caroline du Nord. Ce projet comportait un volet thérapeutique destiné aux enfants psychotiques[1] et autistiques et une prise en charge également destinée aux parents. Cette expérience devait permettre d'évaluer objectivement les effets d'un traitement par la psychothérapie de groupe d'inspiration analytique. Durant les séances proposées aux enfants, une très grande liberté leur était laissée, le but étant d'amener les patients à exprimer leurs difficultés au travers d'une activité ludique qui, correctement interprétée, devait aboutir à l'élimination des symptômes.

Eric Schopler eut l'occasion d'observer durant cette période que ces activités non structurées entraînaient des comportements déviants d'une extrême intensité et d'une grande fréquence, accompagnés d'anxiété chez les autres enfants et les professionnels ayant la charge de les encadrer. Par ailleurs, les séances ainsi conduites ne semblaient pas aider les enfants.

Cette constatation, ainsi que l'allure des troubles observés amenèrent Eric Schopler à penser, contrairement aux théories en vogue à l'époque, que les difficultés sociales des enfants autistes étaient liées à des déficits d'origine organique. En 1966, il élabora en collaboration avec le docteur Robert Reichler, psychiatre pour enfants, un projet de recherche subventionné par le NIMH (Institut national pour la santé mentale). Dans cette étude, il était postulé

---

1. Selon la terminologie de l'époque.

que l'autisme était l'expression d'un désordre cérébral et qu'en conséquence, il était nécessaire de mettre en place un programme d'intervention individuelle ayant pour but d'apporter une éducation spécialisée à l'enfant en collaboration avec la famille. Ce vaste programme de recherche comportait plusieurs aspects concernant le diagnostic, l'évaluation et l'éducation. Plusieurs instruments d'évaluation furent mis au point, au moins dans leur version expérimentale à cette époque (CARS et PEP).

Les résultats de cette étude furent tout à fait concluants. Léo Kanner, qui avait décrit le syndrome autistique en 1943 et évoqué les thèses psychogénétiques pour les critiquer ensuite, salua ce projet en affirmant qu'il correspondait à « la meilleure possibilité valable auprès des enfants autistiques à cette date ». Les parents, déjà regroupés en associations, déposèrent une requête auprès de l'État de Caroline du Nord afin que les besoins de leurs enfants et l'aide effectivement apportée par ce programme soient reconnus.

En 1972, l'État de Caroline du Nord promulgua une loi spéciale désignant la Division TEACCH comme premier programme d'État spécialisé dans le diagnostic, le traitement, la formation, la recherche et l'éducation des personnes autistes. Les trois premiers centres régionaux furent ainsi créés avec pour objectif principal d'améliorer la qualité de vie des patients au sein de l'environnement familial, scolaire, et dans la communauté sociale. Des classes, au nombre de neuf à l'origine, furent ouvertes. Il s'agissait de classes intégrées en milieu scolaire ordinaire et susceptibles d'accueillir quatre à six élèves encadrés par un instituteur spécialisé et un assistant. L'objectif était d'apporter une éducation spécialisée aux enfants autistes en les maintenant dans un système éducatif public.

Au départ, le département de l'Instruction publique s'opposa à l'ouverture de ces classes car le fonctionnement alors admis allait dans le sens de l'intégration individuelle des enfants autistes considérés comme présentant des perturbations émotionnelles. En dépit de cette opposition, les autorités politiques attribuèrent la responsabilité du fonctionnement de ces classes au doyen de l'université de l'école de médecine de Caroline du Nord. L'État s'engagea à financer le développement de programmes éducatifs individualisés pour les enfants concernés.

Cet ensemble de mesures fut clairement stipulé dans une loi promulguée cinq ans plus tard, en 1977. Cette décision, accompagnée d'un bilan positif des classes spécialisées intégrées en milieu scolaire ordinaire, amena le département de l'Instruction publique de Caroline du Nord à reconsidérer sa position de départ pour prendre en charge ces classes et en accroître le nombre en fonction des besoins. Le nombre des classes spécialisées passa ainsi à une soixantaine et les autorités scolaires en assumèrent la gestion financière.

À la même époque, deux nouveaux centres TEACCH furent ouverts, portant ainsi au nombre de cinq les centres régionaux de référence répartis en fonction du découpage administratif de la Caroline du Nord en cinq régions. Quelques années plus tard, fut opérée une redistribution des secteurs d'intervention et deux nouveaux centres virent successivement le jour. À l'heure actuelle, le fonctionnement de la division TEACCH s'articule autour de sept centres régionaux harmonieusement répartis dans l'État de Caroline du Nord. En outre, il existe désormais plus de deux cents classes affiliées au programme TEACCH, parmi lesquelles certaines sont suffisamment bien structurées et organisées pour accueillir des élèves autistes parmi d'autres types de handicaps.

La demande fut quantitativement et qualitativement très forte dès le démarrage de ce programme. La nouvelle approche préconisait en effet l'application des méthodes éducatives au sein du milieu familial dans le prolongement de ce qui était réalisé dans les classes. Les parents participèrent le plus souvent avec enthousiasme à un programme qui leur reconnaissait le droit à l'éducation de leur propre enfant et prévoyait l'intégration sociale future préfigurée par l'intégration scolaire. Sur le plan technique, les parents furent d'abord très impliqués, y compris dans le cadre des classes, afin d'aider à la généralisation des acquis dans la vie quotidienne, mais aussi pour aider les professionnels à une période où le programme n'était pas encore officiellement reconnu. Avec la promulgation de la loi de 1977, le droit à l'éducation des enfants autistes étant reconnu et prévu dans le cadre d'une étroite collaboration parents-enseignants, les familles purent prendre du recul et leur participation s'organisa de manière différente. Au lieu d'être présents de manière très fréquente sur les lieux scolaires, les parents purent prendre en main plus spécifiquement l'éducation à domicile, tout en restant en communication avec les enseignants par l'intermédiaire du cahier journalier de liaison et lors de rencontres à la sortie de l'école, de réunions mensuelles et de réunions plus conviviales à l'occasion de fêtes ou de sorties exceptionnelles. Le lien nécessaire entre les parents et les professionnels, pour qu'une aide efficace soit apportée à l'enfant, fut donc maintenu tout en permettant à chacun des partenaires d'assumer pleinement sa fonction.

Avec la consolidation du programme TEACCH, les parents se sont progressivement organisés jusqu'à constituer une association officiellement reconnue. Désormais, chaque classe affiliée au programme TEACCH possède un groupe de parents qui se réunit régulièrement, afin d'échanger sur tous les problèmes relatifs au fonctionnement de la classe (stratégies éducatives, moyens de transport etc.). Les conflits éventuels entre enseignants et parents sont gérés par un thérapeute appartenant à la division TEACCH.

Les différents centres de référence organisent mensuellement des groupes de soutien aux parents. Un groupe de parents est affilié à chaque centre régional TEACCH. L'objectif est d'améliorer la qualité des prestations en organisant des activités extrascolaires, des gardes d'enfants et tous les services utiles aux familles. Les parents qui appartiennent à ces groupes s'informent en assistant à des conférences et s'engagent dans un soutien aux autres parents (groupes de pères, de mères, organisation de sorties de détente). Chacun de ces groupes fait partie de la NCSAAC (Société pour adultes et enfants autistiques de Caroline du Nord), elle-même élément constituant de la NSCAA (Société nationale pour enfants et adultes atteints d'autisme). Tous les deux mois, les dirigeants de l'association de Caroline du Nord organisent une réunion à laquelle participe l'équipe de la Division TEACCH.

Cette collaboration étroite entre la Division TEACCH et l'association de parents a permis une réflexion permanente qui a généralement débouché sur des projets communs susceptibles d'améliorer la qualité des services offerts aux familles. Ainsi, cette collaboration a eu pour conséquences l'ouverture de nouveaux centres régionaux, de services concernant les adolescents et adultes atteints d'autisme (foyers, formations professionnelles, groupes de compétences sociales), et la mise en place d'un camp de vacances.

L'unité d'administration et de recherche est dirigée par un psychologue, le professeur Gary Mesibov. Elle est située à l'école de médecine de l'université de Caroline du Nord, à Chapel Hill. Cette unité centralise l'administration et la coordination de l'ensemble du programme comprenant les centres régionaux, les classes affiliées et les autres structures de services.

Cette unité coordonne essentiellement les efforts dans le domaine de la recherche, de la formation professionnelle et de la diffusion

plus large des informations (intervention des différents professionnels aux niveaux national et international). L'objectif principal est
d'améliorer les modalités de prise en charge dans une perspective
longitudinale tout en développant les services éducatifs, professionnels et résidentiels. Elle assure le maintien des relations avec le pouvoir législatif de l'État de Caroline du Nord et avec l'association de
parents de l'État de Caroline du Nord.

Chaque centre régional est dirigé par un docteur en psychologie.
Celui-ci supervise une équipe de professionnels ayant bénéficié
d'une spécialisation dans le domaine du handicap tout en ayant eu
des cursus de base très divers (éducation spécialisée, orthophonie,
ergothérapie, psychologie, sciences sociales, développement de
l'enfant, thérapie récréative, conseils de réhabilitation...). Tous les
professionnels de la Division TEACCH sont donc hautement spécialisés mais ils gardent une fonction de généraliste, pouvant répondre aux besoins divers des personnes atteintes d'autisme et de leurs
familles.

Chaque centre a pour mission de coordonner l'ensemble des services au niveau régional. Il propose des activités de diagnostic qui
se déroulent sur une journée à l'issue de laquelle le diagnostic est
posé ou confirmé. Un programme d'éducation individuel est fourni
ainsi qu'une orientation vers le système d'éducation le mieux
adapté aux besoins de l'enfant.

D'autres prestations sont également assurées : la formation et les
conseils aux parents, la consultation dans les classes, la formation
professionnelle des adultes autistes, les groupes de compétence
sociale, la supervision des structures résidentielles et des foyers
communautaires, les groupes de soutien aux parents et à la fratrie, la
gestion des situations de crise individuelle, l'organisation de loisirs
et de vacances.

Parallèlement à la coordination de ces différents services, les centres TEACCH entretiennent une étroite collaboration avec les autres
organismes impliqués dans la protection de l'enfance handicapée.
Ils collaborent essentiellement avec le département de l'Instruction
publique. La formation des personnels impliqués dans les différents
programmes de soutien aux personnes autistes et à leur famille est
assurée selon des modalités diversifiées qui vont du stage encadré
sur le terrain aux sessions spécifiques de formation. Enfin, des
recherches systématiquement liées aux activités cliniques sont
conduites régulièrement et permettent de développer de nouveaux

services en fonction de l'évolution des connaissances et de produire des documents sur lesquels s'appuie la diffusion de l'information.

TEACCH est donc un programme d'État qui a mis en place des structures de services adaptées aux difficultés spécifiques des personnes autistes. Ce programme s'inscrit dans un dispositif d'aide aux personnes exceptionnelles et correspond aux droits définis par la législation américaine et aux besoins exprimés par les familles.

TEACCH constitue un réseau de services à la disposition des personnes atteintes d'autisme, quel que soit leur âge. Ces services ont été conçus pour répondre au mieux aux besoins de la personne autiste et de sa famille et pour faciliter son insertion sociale et son maintien dans la communauté. L'action développée dans ce réseau de structures repose sur une concertation permanente des professionnels de différentes disciplines et des parents. Le travail réalisé avec la personne autiste débute dès le moment du diagnostic et de l'évaluation. Le programme éducatif individuel proposé à l'issue de la première évaluation et après une concertation avec la famille fait l'objet ensuite de réévaluations régulières et de réajustements des objectifs.

La pédagogie développée dans les structures TEACCH repose sur d'abondantes données cliniques et découle des connaissances acquises par une approche empirique. Cette pédagogie n'est pas fixée de manière immuable. Elle fait l'objet d'adaptations permanentes au niveau individuel et, sur un plan général, de modifications correspondant à la réflexion permanente de l'équipe de praticiens et de chercheurs de la division TEACCH.

Ce programme réalise donc une approche complète de l'individu dont l'objectif est une amélioration de la qualité de vie dans tous les milieux fréquentés et à tous les âges de la vie. Il articule intelligemment les services avec les activités de formation et avec la recherche. Plus de trente ans de recul permettent d'apprécier l'efficacité de ce système dont la transposition s'est effectuée avec succès dans de très nombreux pays.

Chapitre 14

LES AUTRES PROGRAMMES ÉDUCATIFS EUROPÉENS

Qu'ils s'appuient sur le mode d'organisation de la Division TEACCH ou qu'ils aient développé leurs propres modalités de fonctionnement, les principaux programmes Européens ont tous une orientation fortement éducative. Ils préparent l'individu à une vie la plus autonome possible dans tous les lieux de vie qu'il aura à fréquenter à tous les âges de sa vie (Demeestere et Van Buggenhout, 1992).

LE PROGRAMME DE LA COMMUNAUTÉ FRANÇAISE DE BELGIQUE

Le département d'orthopédagogie de l'université de Mons a transposé une partie du dispositif mis au point à la division TEACCH pour l'intégration des enfants et adolescents autistes en milieu scolaire. Le projet Caroline a été mis en place de manière expérimentale durant quatre années scolaires et a fait ensuite l'objet d'une évaluation. Les résultats obtenus ont permis de pérenniser ces classes et de développer progressivement le réseau des structures d'aide aux personnes autistes.

Comme aux États-Unis, ce type de programme s'est développé en raison de la demande des parents qui, réunis en association ont réussi à faire valoir les droits de leurs enfants avec l'aide de professionnels compétents. Le programme est issu d'une collaboration entre l'association des parents, l'université de Mons-Hainaut et les administrations concernées.

Les objectifs de ce programme étaient de mettre en place des structures expérimentales et de mettre en réseau les structures impliquées dans l'éducation des enfants porteurs d'autisme (services de diagnostic, d'orientation, associations de parents). Il s'agissait aussi d'assurer la formation des différents partenaires aux spécificités de l'autisme et à l'approche éducative qui en découle. La référence est le modèle TEACCH aussi bien au niveau de la philosophie de base (travailler en vue de l'intégration sociale), de la méthodologie (éducation structurée) que de l'organisation des services (coordination de tous les acteurs parents et professionnels). Quatorze classes de l'enseignement spécial ont été impliquées dans le programme. Elles ont permis d'accueillir quarante-cinq élèves porteurs d'autisme, le diagnostic étant établi en s'appuyant sur les systèmes de classification internationale (DSM et classification de l'OMS). Certains enfants étaient porteurs d'autres handicaps associés. La formation a été assurée par l'université de Mons-Hainaut sous le contrôle du professeur Ghislain Magerotte.

La supervision a été constante et une évaluation du travail réalisée à l'issue des quatre années de fonctionnement expérimental.

Une consultation spécifique, implantée dans le cadre de l'université de Mons-Hainaut, le SUSA, apporte des services aux personnes atteintes d'autisme. Ces services comportent le diagnostic, l'évaluation, et l'aide éducative. Le SUSA a été mis en place à partir d'une collaboration entre le département d'orthopédagogie de l'université de Mons-Hainaut et l'Association de parents pour 1'épanouissement des personnes autistes (APEPA). Le financement de départ a d'abord reposé uniquement sur des fonds privés accordés sous forme de subventions et de mécénat. La prise de relais par les pouvoirs publics a été difficile avec une interruption du service pendant un an puis un redémarrage reposant toujours en grande partie sur des fonds privés.

Le statut universitaire du SUSA permet les interactions permanentes entre la formation, la recherche et les applications pratiques en faveur des personnes avec autisme. Le SUSA est aussi le support pour des collaborations internationales au niveau de la recherche et de la formation.

Un service de répit a aussi été mis en place. Il offre aux enfants la possibilité d'être encadrés par des professionnels et des bénévoles (étudiants en cours de formation) durant le week-end ou durant des périodes de vacances. Les parents peuvent ainsi souffler et bénéficier d'un temps libre pour s'occuper d'eux-mêmes et du reste de la famille.

La réflexion et les actions en faveur de l'autisme se sont aussi poursuivies dans d'autres directions comme l'insertion profession-nelle, l'organisation de lieux de vie intégrés dans la communauté sociale et plus récemment l'intervention précoce intensive. La synergie qui existe entre l'université et les services permet d'envisa-ger de nombreux développements toujours ajustés aux besoins des personnes atteintes d'autisme.

LE CENTRE FLAMAND DE FORMATION DES PROFESSIONNELS DE L'AUTISME

Theo Peeters est l'un des premiers à avoir transposé le système TEACCH en Europe. Il a développé l'éducation structurée au béné-fice des personnes autistes selon ce modèle. Il a mis au point des formations en direction des professionnels de l'autisme. Son centre a une réputation internationale et délivre des services aux organis-mes de formation sous forme de stages théoriques et pratiques durant lesquels sont exposées les particularités de l'autisme et leurs implications au niveau de la compréhension des personnes atteintes d'autisme, au niveau des aides à leur apporter pour faciliter leurs apprentissages et le développement de la communication.

GAUTENA, PAYS BASQUE ESPAGNOL

Ce programme dirigé au départ par le docteur Joachim Fuentes représente la transposition la plus complète en Europe du dispositif TEACCH. Il résulte de la collaboration des professionnels avec les parents de l'association Gautena et comporte un ensemble de struc-tures complémentaires disséminées dans la région de Guipuzcoa et dont le centre se situe à San Sebastian la capitale.

Les différentes structures de Gautena comportent des centres éducatifs, des foyers d'hébergement (appartements, etc.), des foyers occupationnels. Les personnes atteintes d'autisme bénéficient aussi de traitements ambulatoires.

Les services mis en place concernent tous les désordres du spec-tre autistique à tous les âges de la vie et il existe une continuité remarquable dans l'aide apportée aux personnes atteintes d'autisme et à leur famille. Cette approche s'appuie sur une réelle préoccupation pour l'intégration des personnes porteuses de ce handicap et sur un souci constant de mettre en réseau toutes les activités, qu'elles concernent les services aux personnes, la formation, et la recherche.

Réalisations au Royaume-Uni

Au Royaume-Uni, le système de diagnostic est relativement bien organisé. Les acteurs du système de santé sont sensibilisés au problème et peuvent effectuer le dépistage à l'occasion d'interventions de routine auprès des enfants pour la surveillance de leur état de santé et de leur développement. Des centres plus spécialisés et spécifiquement orientés vers l'examen des troubles du développement peuvent prendre le relais pour les enfants qui leur sont signalés. Par ailleurs, les hôpitaux disposent de services dont les équipes pluridisciplinaires évaluent les enfants sur le plan intellectuel, comportemental et social et réalisent les investigations biologiques. Ces équipes sont composées de pédiatres, de généralistes, d'enseignants spécialisés, de travailleurs sociaux, de psychologues cliniciens, de psychologues de l'éducation et de thérapeutes. La durée de la période d'évaluation est variable selon le centre. C'est le pédiatre qui coordonne l'ensemble des investigations et informe les parents et le médecin de famille.

Un centre de diagnostic et d'évaluation pour les troubles du développement et de la communication a été créé, dans le Kent. Il s'agit d'un projet expérimental qui a démarré en octobre 1991. Son équipe est composée d'un psychiatre consultant, d'un psychologue clinicien et d'un assistant social. Des professionnels et des parents viennent de tout le Royaume-Uni et même parfois de pays étrangers pour accompagner un enfant ou un adulte qui relève des compétences de ce centre. Les parents qui sollicitent directement le centre sont encouragés à impliquer les services disponibles à proximité de leur domicile, afin d'être accompagnés par un professionnel de la santé, de l'éducation ou des services sociaux.

L'histoire du développement de l'enfant est récapitulée ainsi que ses difficultés actuelles. Tous les documents concernant son développement, y compris des photos et des rapports scolaires sont réunis. Des observations comportementales et des tests psychologiques sont réalisés.

Toutes ces informations permettent au centre de diagnostiquer le trouble du développement et de réaliser l'évaluation des besoins présents et futurs de l'individu et de sa famille. Le lien avec les services à proximité du domicile permet de négocier un suivi adapté.

Ce centre organise également des formations pour les professionnels et il est à l'origine de projets de recherche qu'il soutient. Il a créé une banque de données informatisée régulièrement mise à jour et permettant l'accès à une information très spécialisée. Le centre ne reçoit aucun subside de l'État. Le coût de son fonctionnement est entièrement assuré par l'association de parents (NAS : *National Autistic Society*). Il répond cependant aux attentes des familles qui reçoivent un diagnostic accompagné de toutes les investigations médicales et de conseils adaptés pour la mise en place de services susceptibles de répondre aux besoins de la personne et de son entourage.

Au Royaume-Uni, les systèmes éducatifs, de santé et de l'emploi disponibles pour la population sont largement ouverts aux handicapés. Ainsi, le système scolaire permet-il l'insertion de handicapés avec un aménagement du cursus et la mise en place d'aides spécifiques. Il existe par ailleurs un réseau de structures d'accueil et d'aide pour les handicapés mentaux. L'autisme étant reconnu comme un handicap, les personnes autistes trouvent leur place dans ce dispositif. Cependant, les aménagements nécessaires dans ce type de pathologie ne semblent pas toujours effectifs. La NAS (*National Autistic Society*) joue un rôle extrêmement important dans la diffusion de l'information, la formation des intervenants auprès des autistes et même la création de structures spécifiques. Sa coordination avec les associations locales permet la défense des droits des personnes autistes dans la plupart des régions et le développement de modalités d'accueil de plus en plus adaptées.

La gamme des formules d'accueil est très diversifiée, allant de l'intégration complète dans le cursus scolaire ordinaire ou dans le monde du travail jusqu'à la prise en charge résidentielle. Cette diversité des formules permet une individualisation des solutions proposées. Cette personnalisation demande cependant une mobilisation importante des familles et des personnels spécialisés et il semble que, avec les moyens actuellement disponibles, la coordination des actions ne soit pas toujours aussi efficace qu'il ne serait nécessaire. La continuité dans les prises en charge peut être tout à fait problématique dans un système à la carte dans lequel les familles ont sans doute à être vigilantes en permanence pour renégocier non seulement l'accueil de leur enfant, mais encore l'adaptation de l'environnement à ses besoins et la mise en place d'aides spécifiques. La NAS joue, ici, un rôle tout à fait prépondérant et son action va dans le sens d'une reconnaissance des besoins et de la mise en œuvre sur le terrain des mesures d'aides nécessaires. Elle tend ainsi à donner une cohérence aux différentes ressources offertes par le système d'accueil.

RÉALISATIONS AUX PAYS-BAS

Diagnostic

Aux Pays-Bas, de nombreux services peuvent diagnostiquer l'autisme. Dans certains cas, cependant, le diagnostic reste différé, en raison d'un manque de formation. Un rapport de 1984 mettait en évidence le fait que les parents avaient en moyenne à consulter quatre à cinq services, avant d'obtenir un diagnostic d'autisme. Cette situation a été considérablement améliorée avec la mise en place d'équipes spécialisées en autisme. Ces équipes fournissent tous les services nécessaires lorsque le diagnostic est établi. Ils coordonnent également la formation de tous les intervenants du système de santé. Ils ont notamment mis en place un cours d'une durée de trois ans pour améliorer la spécialisation dans le domaine de l'autisme. La brochure de l'Association nationale de parents (NVA), permet de diffuser l'information sur l'autisme et de développer ainsi une meilleure compréhension du problème rencontré par les personnes atteintes et par leur famille.

L'éducation pour les enfants porteurs d'autisme est délivrée dans le système ordinaire d'éducation comme dans l'enseignement spécial. Lorsqu'un enfant porteur d'autisme a des capacités intellectuelles normales et ne présente pas de problèmes sévères du comportement, il peut être admis dans les structures destinées aux jeunes enfants. L'aide individualisée d'un enseignant spécialisé peut favoriser le développement de l'enfant. Cependant, l'école n'est pas obligée d'avoir recours à ce type de spécialiste. Certaines écoles demandent le soutien d'équipes spécialisées en autisme pour bénéficier d'une guidance.

En pratique, il y a peu d'enfants autistes dans les écoles normales et cela est principalement dû au fait qu'un pourcentage élevé d'enfants autistes présente aussi un handicap mental.

Récemment, la coopération entre les écoles ordinaires et l'éducation spéciale a été favorisée et soutenue financièrement. Des efforts sont réalisés pour réintégrer des enfants venant de l'éducation spéciale dans le cursus normal. Lorsqu'un enfant vient de l'éducation spéciale et réintègre le cursus normal, l'école spécialisée peut apporter une supervision pendant un temps limité. Les écoles primaires qui accueillent un nombre relativement important d'élèves handicapés ont droit à un nombre supérieur d'enseignants. Lorsqu'ils accueillent des élèves handicapés dans une école ordinaire, les enseignants bénéficient d'une formation de trente-deux heures. La participation à ce type d'enseignement se fait sur la base du volontariat. Cette formation est financée par l'État.

Le système est identique dans les écoles secondaires. La seule différence est que les écoles secondaires sont, en général, plus grandes, et que cela peut rendre l'intégration des élèves autistes plus difficile.

Éducation spéciale

Il n'existe pas de cursus spécifique pour les enfants autistes mais ces enfants sont orientés vers l'éducation pour les enfants présentant des difficultés massives d'apprentissage. Les écoles spécialisées pour ce type de difficultés ne suivent pas les programmes traditionnels car la pédagogie a pour but d'améliorer la capacité à être autonome, de faire découvrir à l'enfant son environnement, de lui faire apprécier les activités de loisirs et de stimuler son développement moteur.

Pour un enfant porteur d'autisme, mais qui ne présente pas de déficit intellectuel sévère, c'est le comportement qui détermine le type d'éducation. L'enfant peut être admis dans un système d'éducation destiné aux malentendants ou dans une école pour enfants ayant des troubles importants du langage. Ces écoles sont accessibles dès l'âge de 3 ans. Lorsque des déficits sévères du comportement sont présents, l'orientation vers une école pour enfants ayant des troubles du comportement sera privilégiée. Il existe aussi des écoles pour les enfants associant des difficultés sévères d'apprentissage et des problèmes de comportement. Ces établissements sont en principe prévus pour des enfants ayant une intelligence normale mais qui ne peuvent pas s'adapter au système scolaire traditionnel. Ces écoles sont accessibles dès l'âge de 6 ans.

Dans le cycle secondaire, les écoles pour troubles des apprentissages et troubles du comportement existent également. Les écoles destinées aux enfants ayant des troubles des apprentissages ont souvent une liste d'attente. Elles développent une politique d'admission très restrictive. Le bon fonctionnement de la classe ou du groupe prévaut souvent sur le bien-être d'un seul enfant.

En 1984, une expérimentation visant à mettre en place un système éducatif mieux adapté pour les autistes a été entreprise. Il ne s'agissait pas de créer des modalités d'accueil séparées mais d'adapter le système d'éducation spéciale existant. L'expérimentation a été menée dans 15 écoles dans lesquelles la spécialisation des maîtres dans le domaine de l'autisme a été favorisée pour permettre l'adaptation de l'enseignement.

Dans ces écoles, des enseignants supplémentaires ont eu à prendre en charge quotidiennement les enfants autistes pour des séances d'enseignement individuel d'au moins une heure. Chacun des enseignants avait la responsabilité de 3 enfants recrutés soit dans la même école, soit dans des écoles différentes, chaque école ne pouvant employer plus d'un enseignant en surnombre.

Cette expérimentation reposait sur l'hypothèse que les enfants présentant un autisme devaient aller à l'école avec des enfants de leur âge, qui peuvent leur fournir un modèle social et offrent davantage d'opportunités de communication. Cette formule avait aussi l'avantage de permettre à l'enfant de fréquenter une école proche de son domicile.

Lorsqu'un enfant était admis à l'école, il bénéficiait d'une évaluation dont une partie était réalisée en situation familiale. Le résultat de cette évaluation a permis d'élaborer un programme éducatif personnalisé. Certaines activités étaient également appliquées par les parents à la maison. Cette éducation à la maison devait renforcer l'efficacité de l'enseignement et garantir une meilleure continuité de la prise en charge pour l'enfant.

Cette expérimentation a fait l'objet d'une évaluation qui a servi de base pour le ministère de l'Éducation qui avait l'intention de définir un programme d'éducation spécialisée pour les enfants autistes. Les résultats ont été positifs et cette forme d'enseignement individualisé et adapté a été mise en place de manière durable. Les écoles recevant des subventions spécifiques pour l'intégration d'enfants autistes doivent coopérer avec les centres régionaux spécialisés en autisme. Les parents et les autres éducateurs sont impliqués dans ce système et le département de pédagogie de l'université de Leiden supervise le contenu des programmes éducatifs. Une formation spécifique pour les enseignants inexpérimentés est organisée dans le cadre des centres de formation pour les enseignants spécialisés.

Le système de santé mentale accueille aussi des enfants, adolescents et adultes autistes. Les institutions avec internat sont en recul au profit des soins de jour et des soins ambulatoires. Cependant, les possibilités d'accueil résidentiel continuent à jouer un rôle important dans l'accueil des personnes handicapées. Les institutions reconnues sont financées par l'État. Les maisons d'accueil pour handicapés mentaux peuvent accueillir les personnes atteintes de degrés différents de handicap mental. Ces institutions font le diagnostic du handicap et proposent le traitement et la guidance. Elles organisent le travail, la formation et les activités récréatives. Ces institutions essaient de recréer un cadre similaire à celui du domicile. Certaines de ces institutions sont spécialisées dans la prise en charge des personnes présentant des troubles sévères du comportement.

Une institution peut accueillir, en moyenne, deux cent cinquante personnes. Il existe encore des institutions ayant une capacité d'accueil de neuf cents personnes. Cependant, l'ensemble du groupe est le plus souvent scindé en plus petits groupes vivant dans des maisons intégrées dans la communauté.

Un certain nombre de personnes autistes, avec retard mental associé, réside dans de telles institutions et en est, généralement, satisfaite. Même des personnes avec une intelligence normale et qui ont reçu l'éducation appropriée vivent parfois dans de telles structures. Généralement, il n'y a pas de groupes de personnes autistes séparés. Les institutions essaient de leur donner une place dans des groupes où les handicaps sont mélangés. Mais le plus souvent, ces groupes sont trop grands et incapables d'offrir un environnement structuré. Dans certaines institutions, des personnes autistes avec des problèmes importants de comportement sont regroupées. Ces groupes sont de petite dimension (maximum huit personnes) et bénéficient d'un encadrement plus soutenu.

Certaines de ces institutions ont un caractère nettement pédagogique. Un emploi du temps régulier est respecté. Le travail joue un rôle important, parce qu'il peut stimuler la conscience de soi et l'estime de soi. Le travail peut être effectué dans une usine de tissage, au jardin, à la lingerie ou dans une poterie. Des efforts sont faits pour créer une atmosphère calme durant les temps d'activités diverses et de travail. Des activités créatives sont organisées durant les temps de loisirs. Ce type d'institutions est évalué positivement par les parents des résidents.

Certaines de ces institutions ont créé des foyers qui sont situés en dehors du siège. Ces foyers permettent le fonctionnement plus indépendant des personnes mentalement handicapées qui peuvent vivre à l'extérieur de la structure, tout en bénéficiant de ses services permanents. Ces foyers proposent l'hébergement, les soins et une guidance avec, pour objectif, le développement de l'indépendance. Ils sont intégrés à la communauté sociale. Les résidents sont impliqués dans la vie quotidienne de la ville. Durant la journée, ils travaillent à l'extérieur, soit dans un atelier protégé, soit dans un centre de jour pour personnes âgées. Ils suivent parfois une formation. Les personnes qui ne sont pas capables de travailler à l'extérieur peuvent également être accueillies. Le foyer organise alors des activités durant la journée. Certains des résidents suivent le programme de jour d'une institution pour handicapés mentaux.

Les capacités sociales des personnes autistes sont souvent trop limitées pour fonctionner dans ce type de structure. Seules les personnes qui peuvent s'adapter au groupe sont admises, ce qui est difficile pour les autistes. Cela pourrait être possible pour les autistes n'ayant pas de retard intellectuel. Mais, en raison de cette absence de déficit, ces patients n'ont théoriquement pas accès à de telles structures. Des exceptions sont néanmoins faites à ce niveau, et une note interne émanant du secrétariat d'État, accorde la possibilité de dérogation, car peu de personnes sont concernées par cette mesure.

Certains de ces foyers possèdent également des dépendances dans le voisinage, où des groupes de trois à six personnes peuvent vivre plus ou moins indépendamment. Ils reçoivent une aide du foyer dont ils dépendent juridiquement et économiquement. Les maisons sont généralement intégrées dans la communauté sociale. Ce système semble fonctionner correctement. De plus, le prix de journée est bien inférieur à celui du foyer.

De nombreuses formules d'accueil sont donc possibles. Cependant, toutes ne conviennent pas aux personnes autistes. Les équipes qui doivent prendre en charge, sont souvent insuffisantes en nombre et non formées spécifiquement. Les formules les plus satisfaisantes sont celles dans lesquelles une adaptation spécifique est prévue en fonction des besoins des personnes autistes. Le rattachement à une équipe spécialisée en autisme assure à la fois la qualité de service et la formation des personnels impliqués. L'implication des associations locales de parents qui coopèrent avec tous les services a stimulé la mise en réseau des différents organismes ayant à intervenir. Le rôle de ces associations est important, car les parents veillent à la qualité des services et travaillent à l'amélioration de celle-ci.

Depuis 10 ans, un nouveau système de prise en charge des personnes présentant un handicap intellectuel est en cours d'élaboration. L'intégration et la prise d'autonomie représentent des objectifs prioritaires dans le cadre d'une politique de souveraineté des usagers.

Les services proposés peuvent être répartis en placements résidentiels, guidance, placements de jour ou interventions à domicile. Chaque demande de prise en charge doit être considérée en fonction de ces quatre possibilités. Les demandes sont examinées par un comité pluridisciplinaire qui est indépendant des structures fournissant soins et éducation.

Le demandeur devrait, à l'avenir, recevoir un budget personnel en accord avec le type de prise en charge indiqué. Ce système a pour but d'augmenter la souveraineté des usagers et la coordination entre l'offre et la demande. Lorsque le demandeur ne peut gérer lui-même les fonds qui lui sont attribués, un système de tutelle est introduit. Un coordinateur est nommé pour chaque personne. Son rôle est de définir l'ensemble des aides nécessaires. Il doit être indépendant des institutions qui fournissent les services et des assureurs. Il a essentiellement un rôle de conseil et le demandeur a le contrôle de la décision finale.

Le secrétariat d'État a consulté le parlement et le 16 mars 1992, il a été décidé d'introduire le système de budget personnel et de coordinateur dans deux ou trois régions expérimentales. Le système devrait être généralisé après une évaluation. Dans ce nouveau système, la nécessité d'une coopération régionale pour l'information, l'orientation, la détermination des allocations, les possibilités d'appel, l'enregistrement et la programmation des services est aussi soulignée.

Ce système favorise la qualité, l'efficacité, la flexibilité et l'accessibilité aux services. Ces dispositions prises en faveur des personnes handicapées pourront être appliquées aux personnes présentant un autisme, des budgets spéciaux étant prévus pour eux. Le système d'agrément des institutions sera aboli mais un texte sur les contrôles de qualité pour les institutions sera promulgué. Les assureurs auront à conclure des contrats avec les prestataires de services concernant la qualité des prises en charge proposées. Ils auront la responsabilité de refuser les institutions qui ne correspondent pas aux standards de qualité. La Loi sur le contrôle de qualité et ce système d'assurance ont été adoptés en 1994.

SYNTHÈSE DES RÉALISATIONS À L'ÉTRANGER

Cette revue des différentes réalisations dans les pays étrangers nous permet de dégager les axes principaux de la politique menée pour prendre en compte les besoins des personnes atteintes de trouble du développement :

1. En ce qui concerne le diagnostic, la référence aux classifications internationales est systématique. De ce fait, la notion de trouble du développement est couramment utilisée. Cet accord sur les systèmes de diagnostic a des répercussions à plusieurs niveaux. D'abord, l'identification des populations et de leurs besoins se trouve facilitée. Ensuite, les troubles graves du développement font partie intégrante d'un large spectre qui inclut la déficience mentale, les troubles des apprentissages et les troubles de la communication. Ce point de vue amène à la reconnaissance de besoins qui se définissent essentiellement en termes de soutien au développement. Enfin, et comme conséquence du point précédent, la notion de handicap liée à un problème de développement est clairement admise et a des conséquences directes sur les mesures préconisées pour venir en aide à ces populations.

Les besoins spécifiques des enfants classés dans la catégorie des troubles graves du développement avec trouble de la communication étant clairement définis, une information peut être diffusée afin de faciliter le dépistage précoce. L'orientation est ensuite faite, de préférence, vers des centres de diagnostic spécialisés qui confirment le type de pathologie et peuvent ensuite assurer la coordination des actions et un accompagnement médical. Ces centres de diagnostic sont aussi des centres de référence impliqués dans la formation et la supervision des professionnels. Étant donné le caractère pluridisciplinaire des actions menées, même au niveau du diagnostic, les médecins ne sont pas forcément en position de direction. Ils apportent leur contribution sous forme de consultations et de prestations médicales et s'intègrent naturellement dans des équipes dont la coordination est le plus souvent confiée à ceux qui se situent à l'interface des compétences requises. Ce sont généralement les psychologues qui occupent cette fonction de direction car ils ont développé des compétences transversales qui concernent le diagnostic, l'évaluation et l'intervention en interaction avec les familles et les différents professionnels.

2. L'aide préconisée se définit, prioritairement, en termes d'éducation spéciale. Toutes les ressources offertes par le système d'éducation ordinaire sont utilisées avec des aménagements pour que les enfants présentant des troubles graves du développement puissent y être accueillis. Le système d'éducation spéciale collabore avec le système ordinaire pour une meilleure intégration des enfants en difficultés. L'apport de l'éducation spéciale se situe à plusieurs niveaux. D'une part, certains enseignants issus de l'éducation spéciale peuvent participer au soutien d'enfants intégrés en milieu ordinaire en facilitant les aménagements nécessaires à leur accueil et en venant renforcer les équipes pédagogiques. D'autre part, l'éducation spéciale peut accueillir directement des enfants pour lesquels des formules de scolarisation plus personnalisées sont indispensables.

Dans tous les cas, les deux systèmes (éducation ordinaire et éducation spéciale), n'apparaissent jamais comme étant hermétiquement cloisonnés mais collaborent pour une meilleure adaptation de la pédagogie et des lieux d'accueil aux enfants handicapés.

3. Dans le cadre général de l'éducation spéciale, une formation spécifique est prévue pour les professionnels s'occupant de populations ayant des besoins particuliers. Ainsi, pour les autistes, l'effort d'intégration va de pair avec une formation de plus en plus spécialisée permettant de tenir compte des besoins particuliers de chacun. Dans les pays où la prise en charge spécialisée est la mieux organisée, la formation accompagne systématiquement la mise en place des structures, avec l'aménagement de l'environnement et la personnalisation de la pédagogie.

4. Les parents sont considérés comme des partenaires dans l'éducation des enfants. Leur rôle est très actif et extrêmement déterminant. Ils sont considérés comme des usagers qui ont droit à l'information, qui participent pleinement à l'éducation de leurs enfants, qui défendent les droits des personnes handicapées et représentent une force de pression susceptible d'aider au développement de structures de mieux en mieux ajustées aux besoins des enfants.

5. Les formules de prise en charge les mieux rôdées ont fait l'objet d'évaluation et sont assurées par l'État. Dans les pays où les prises en charges spécifiques revêtent encore un caractère expérimental, des évaluations sont en cours et devraient permettre la

pérennisation des formules les plus aptes à aider correctement les personnes handicapées par suite de troubles graves du développement. La tendance générale est celle d'une prise en charge financière complète de la personne handicapée, des participations personnelles étant envisagées lorsqu'il s'agit de développer des structures complémentaires ayant un caractère plus récréatif. Les modalités de prise en charge vont de pair avec des systèmes d'évaluation rigoureux permettant de garantir la qualité de service et l'adéquation au handicap concerné. Dans certains cas, comme aux Pays-Bas, l'exigence de qualité conduit à envisager l'attribution de fonds gérés par les usagers qui rechercheraient le type de service en rapport avec leurs besoins plutôt que l'attribution d'agrément et de budgets aux institutions (budgets personnalisés).

6. Les actions menées en faveur des personnes handicapées font l'objet d'une coordination. Ainsi, les services médicaux, éducatifs et sociaux collaborent-ils étroitement entre eux et avec les familles, ce qui permet la plus grande cohérence des mesures d'aide mises en place.

7. Les actions sont également coordonnées dans le temps, ce qui permet la continuité de service auprès des personnes handicapées et de leurs familles. Les adaptations spécifiques liées à certaines populations, comme celle des autistes, trouvent un prolongement lorsque la personne change d'établissement pour des raisons d'âge. Les systèmes les mieux organisés prévoient ainsi une aide qui se met en place dès le moment du dépistage et se maintient tout au long du système scolaire, au moment de la transition vers le monde du travail, au moment de l'intégration dans un emploi et même à l'âge de la retraite.

8. Des réseaux associant les structures de service, les centres de formation et de recherche sont mis en place. Ils permettent une meilleure adéquation des services, par le biais d'une formation spécifique et la progression permanente des connaissances par le lien entretenu entre les actions de terrain, et la formation.

Chapitre 15

LE SYSTÈME FRANÇAIS.
RÉALISATIONS ET PERSPECTIVES

Les connaissances sur l'autisme ont beaucoup évolué et on pourrait s'attendre à ce que les difficultés avancées autrefois par les parents en recherche d'une aide adaptée soient maintenant aplanies. D'importantes lacunes subsistent cependant dans le dispositif de soutien aux personnes atteintes d'autisme et à leur famille. Pourtant, la France est dotée d'un système de santé et d'éducation que beaucoup de pays nous envient.

LES RÉALISATIONS

Le diagnostic

En ce qui concerne le diagnostic, des médecins exerçant à différents niveaux du système de santé pourraient détecter l'autisme. Que ce soit en libéral, dans les structures de protection précoce de l'enfant (PMI), ou dans le milieu scolaire, le dispositif médical est conséquent et il est organisé pour une veille et une détection des dysfonctionnements chez l'enfant lui-même et dans son entourage proche. Des centres de diagnostic spécialisés dans les troubles du développement ont vu le jour avec un développement relativement récent de telles structures réparties sur le territoire national, assurant ainsi une couverture régionale intéressante pour les familles. La situation a donc évolué depuis quelques années et des progrès notables sont enregistrés à ce niveau. Le temps où la nécessité de la démarche diagnostique était parfois remise en question semble révolu. De même est en recul l'attitude délibérée de non-communication du diagnostic pour des raisons souvent obscures allant de la prudente réserve pour ne pas heurter les familles, au refus de stigmatisation par l'attribution d'une étiquette. La majorité des praticiens a semble-t-il compris que le diagnostic était une étape cruciale, inaugurant un processus de compréhension des difficultés de l'enfant et préfigurant la mise en place de mesures adaptées. La volonté d'établir le diagnostic et de le communiquer ne semble plus faire problème à l'heure actuelle. Mais des insuffisances sont encore relevées. L'absence de sensibilisation suffisante des acteurs du dispositif de santé et du système scolaire empêche la détection précoce et systématique des troubles envahissants du développement. La difficulté est liée au fait que dans la petite enfance, les signes peuvent être particulièrement discrets, fluctuants, et ancrés dans une déviance qualitative subtile des interactions. Seul un expert peut authentifier les troubles et leur nature à ce stade. Mais le paradoxe réside dans le fait que les plus jeunes enfants n'accèdent aux spécialistes experts du diagnostic de l'autisme qu'après avoir été détectés par des personnes non nécessairement spécialisées, mais qui sont au contact des jeunes enfants. Des études ont testé des méthodes de dépistage et ont validé des signes précoces qui peuvent être signalés à l'attention de ces personnes, mais elles n'ont pas le caractère décisif pour le diagnostic précoce qu'on veut bien leur prêter car leur utilisation reste délicate et peu fiable pour des non-spécialistes. Le diagnostic est donc encore trop souvent tardif du fait que ces professionnels de la petite enfance, médecins ou pas, ne perçoivent pas des signes ou, lorsqu'ils les ont relevés, n'en soupçonnent pas la nature et sont parfois amenés à rassurer les parents inquiets en leur promettant un peu hâtivement une évolution positive. Les parents ont eux-mêmes du mal à percevoir les premières anomalies, surtout quand l'enfant qui en est porteur est le premier de la fratrie. Même lorsque les comportements sont bien perceptibles, il arrive souvent que soit par inexpérience, soit par difficulté à accepter ce qui est intolérable, les parents ne consultent qu'après un délai important. Tous ces aspects liés à la connaissance de l'autisme, à la reconnaissance de ses manifestations, et à leur acceptation ont un impact important sur la période à laquelle le diagnostic sera posé. Certains de ces aspects pourraient être modifiés par une information plus large et plus systématique. Le délai lié à des réactions psychologiques qui empêchent les familles d'intégrer l'information ne peut probablement pas beaucoup changer car la capacité à accepter une telle réalité est très variable d'une personne à l'autre et l'on ne peut que comprendre la réticence d'un parent à constater ce qui va modifier profondément la vie de son enfant et celle de sa famille.

Les professionnels ont à être vigilants pour détecter les signes précoces de l'autisme, mais ils ont aussi à accompagner la prise de conscience chez les parents. Une bonne information donnée dans le contexte d'une relation empathique est, dans ce moment le plus difficile, l'une des façons de soutenir efficacement la personne.

L'utilisation de critères de diagnostic variables reste l'un des problèmes important. Si la clinique classique de l'autisme typique est bien connue, autant au niveau de sa présentation chez l'enfant de trois ans et plus, qu'au niveau de ses manifestations précoces, les formes les plus légères ou les plus atypiques sont plus difficilement identifiées et ce, d'autant plus que l'on s'éloigne des critères précis et reconnus au niveau international. On entend encore trop souvent dire « cet enfant n'est pas autiste car il est dans la relation », « cet enfant n'est pas autiste car il parle », ou encore mieux « cet enfant est sorti de l'autisme ». Ces formulations renvoient à la méconnaissance des manifestations de l'autisme et des différences dans l'expression comportementale. L'autiste n'est pas uniquement une personne mutique et asociale. La personne qui souffre d'autisme peut dans un nombre de cas non négligeables « être dans la relation », chercher à initier des contacts, souhaiter échanger avec les autres mais le faire de manière atypique et non réciproque. C'est cela qui signe l'autisme, et non l'isolement et l'indifférence absolue. L'enfant autiste peut développer un langage sans pour autant échapper au caractère permanent de son trouble du développement. Son langage gardera par contre des anomalies surtout dans le registre de son utilisation sociale. Quant à la sortie de l'autisme, il est connu aussi que malheureusement, il s'agit d'un trouble qui affecte les fonctions de base de l'adaptation et qui perdure avec des conséquences sur la capacité des personnes à s'ajuster aux situations sociales, même lorsqu'elles progressent bien et atteignent un niveau de développement et d'autonomie tout à fait remarquables.

Pour éviter les hésitations diagnostiques ou ces affirmations erronées, le recours à des outils standardisés et validés est indispensable à une approche précise et rigoureuse.

L'intervention

Au niveau de l'intervention, différents types de prise en charge sont proposés. Le dispositif comporte des hôpitaux de jour et des établissements du médico-social. Les places dans ces structures ne sont pas suffisamment nombreuses pour couvrir les besoins et un nombre encore trop grand de personnes atteintes d'autisme reste sans solution d'accueil. Par ailleurs, les possibilités existantes ne correspondent pas forcément aux demandes des familles. La part qui est faite aux soins et à l'éducation est variable et l'aspect soins est rarement défini d'une manière qui permettrait réellement d'en cerner le contenu et d'en évaluer la portée.

L'enfance

Lorsque le diagnostic est posé et l'évaluation réalisée vient le temps du soutien au développement qui passe par une éducation spéciale. Entre 0 et 3 ans, les jeunes enfants atteints d'autisme sont pris en charge par les centres d'action médico-sociale précoce (CAMSP). Ils peuvent bénéficier aussi du soutien des CMP (centres médico-psychologiques) ou être orientés vers les intersecteurs de psychiatrie de l'enfant. Des interventions à domicile peuvent être organisées à partir de ces structures. Mais l'accueil proposé dans les services spécialisés et les interventions à domicile sont en général très ponctuels, faute de moyens. Avec le développement des consultations pour le diagnostic précoce, il devient vital de développer les mesures d'aide pour les plus jeunes enfants. Mais au-delà du manque de moyens transparaît aussi l'absence de détermination à agir vite pour stimuler le développement du jeune enfant. L'intervention précoce pour être efficace doit être intensive et elle doit se référer clairement à un modèle développemental dans lequel l'apprentissage individualisé est un facteur clé de l'évolution. Les réticences de nature idéologique sont encore fortes à ce niveau, alors que la littérature internationale montre l'effet déterminant de ce type de pratiques sur le développement ultérieur de l'enfant.

Pour les enfants entre 3 et 12 ans, la prise en charge se met en place dans les secteurs de pédopsychiatrie ou dans les établissements du médico-social. À l'âge scolaire, l'éducation dont on sait qu'elle est la mesure la plus adaptée et le moyen par excellence de développer des compétences utiles à l'épanouissement de la personne et à son insertion dans la communauté sociale est encore insuffisamment développée. Il reste difficilement concevable pour les équipes de considérer qu'un enfant autiste peut bénéficier d'une éducation à temps plein et que cela représente l'essentiel de l'aide à lui apporter. Éduquer n'est pas une affaire d'interventions ponctuelles, considérées comme des sortes de séances de rééducation. Certains professionnels ont par exemple adopté l'expression « thérapies éducatives » et mettent ainsi en place des séances d'apprentissage souvent déconnectées des autres objectifs et d'un véritable projet de vie élaboré avec les parents. Cette perception de l'éducation présente de sérieuses limites. D'abord, dans une telle perspective, le soin reste prioritaire et la journée de l'enfant s'égrène en séquences de thérapie individuelle ou de groupe, rééducation orthophonique ou psychomotrice et activités menées en groupe dans une fragmentation peu propice à l'acquisition des repères dont l'enfant porteur d'autisme a besoin.

Dans ce contexte, la généralisation des apprentissages, si elle n'est pas intégrée aux objectifs de départ et favorisée activement, ne pourra pas s'établir. C'est l'une des dérives souvent constatée de l'application étroite et mal comprise du modèle TEACCH. Si l'on considère que l'enfant avec autisme a besoin de structuration et d'individualisation pour apprendre et pour s'adapter, pourquoi limiter cette approche à une heure ou deux par semaine alors que c'est dans un environnement adapté pour lui que l'enfant peut s'ajuster au mieux et s'épanouir ? Les rééducations orthophonique et psychomotrice peuvent tout à fait s'intégrer à une approche cohérente dans laquelle les différents intervenants assument leur part du travail tout en adhérant à un projet d'ensemble dont l'axe prioritaire est l'éducation. Sur ce plan, des progrès très sensibles ont été réalisés car, si la psychomotricité a depuis longtemps été considérée comme l'une des premières approches pertinentes pour les jeunes enfants atteints d'autisme, l'orthophonie ne fait partie que depuis peu de temps de l'arsenal thérapeutique indispensable pour un soutien efficace et précoce au développement et pour la mise en place d'un moyen de communication, qu'il s'agisse du langage ou d'un système alternatif. Mais les réticences subsistent encore et certains parents s'entendent encore dire que l'enfant n'est pas prêt et qu'il faut attendre qu'il investisse la communication pour commencer à travailler à ce niveau. Or la communication représente l'un des axes de travail prioritaires et même chez un enfant qui n'accède pas au langage, l'orthophoniste joue un rôle essentiel pour lui donner des outils de communication. L'accès à l'échange social par le biais d'un moyen de communication quel qu'il soit est l'un des enjeux essentiels, d'abord pour le confort de l'enfant qui, privé de moyens de s'exprimer ne pourra que développer des troubles du comportement, mais aussi pour l'ouverture sur des possibilités d'apprentissage qui sont le plus souvent médiatisées par des comportements sociaux. Entrer dans la communication c'est également progresser sur le plan de la symbolisation et développer ainsi le potentiel de développement intellectuel.

En matière d'éducation spéciale, la France possède un dispositif tout à fait remarquable. La prise de conscience ancienne de la nécessaire adaptation aux enfants en difficulté d'apprentissage a entraîné le développement de structures médico-éducatives relativement nombreuses, performantes et capables d'accueillir des enfants déficients intellectuels pour leur donner un cadre de vie adapté à leurs besoins et travailler au meilleur développement de leurs potentialités. Mais pour l'enfant atteint d'autisme, les nécessités d'adaptation vont bien au-delà de l'ajustement aux possibilités intellectuelles et le contexte de vie proposé doit s'appuyer sur la connaissance du fonctionnement spécifique à l'autisme.

Le statut de l'éducatif dans le dispositif de soutien aux enfants atteints d'autisme se reflète bien dans les réticences qui subsistent à l'égard de la scolarisation. Pourtant, le lieu de vie le plus naturel pour un enfant est encore l'école et la France est l'un des seuls pays au monde à ne pas toujours considérer l'éducation en milieu scolaire comme un droit fondamental de l'enfant. Sans doute que la réserve manifestée à l'encontre de la scolarisation est due à l'existence du système d'éducation spéciale qui, comme nous l'avons évoqué ci-dessus, peut être adapté pour l'accueil spécifique des enfants avec autisme. L'école doit rester une possibilité. Elle peut jouer pleinement son rôle lorsque tous les partenaires de l'intégration sont suffisamment informés des difficultés spécifiques et reçoivent le soutien d'équipes spécialisées.

L'adolescence

L'adolescence signifiait autrefois le passage systématique dans les structures de type psychiatrique. On parlait alors d'autisme infantile comme si au-delà de l'enfance le problème trouvait une solution naturelle. Pourtant, même si l'adolescence signifie l'émergence de nouvelles problématiques, la trajectoire développementale se poursuit avec la nécessité prioritaire d'une éducation adaptée.

À ce niveau, les possibilités d'intégration en milieu scolaire ordinaire diminuent encore. Cela est dû au décalage de plus en plus grand entre les possibilités d'apprentissage et d'adaptation et les exigences du milieu d'accueil. La formule de la classe intégrée en collège ordinaire offre les mêmes avantages que la classe de niveau primaire et plusieurs réalisations de ce type ont été implantées avec succès et permettent l'intégration dans une population de même niveau d'âge. Les unités pédagogiques d'intégration (UPI) prennent la relève dans le secondaire des classes d'intégration scolaire du primaire (CLIS). Les intégrations individuelles sont encore possibles avec des aménagements de programme et un accompagnement par un auxiliaire de vie scolaire. Les instituts médico-professionnels (IMPro) permettent de poursuivre l'éducation spécialisée dans la logique de l'institut médico-éducatif (IME). Ils offrent la possibilité dans un premier temps de consolider les acquisitions scolaires pour aborder ensuite la formation professionnelle. L'apprentissage direct en milieu professionnel peut aussi représenter parfois la solution la plus adaptée parce que la plus individualisée. La filière des hôpitaux de jour permet la continuité pour certains adolescents. Il existe aussi des CATTP pour adolescents qui apportent leur soutien en complément d'une scolarisation à temps partiel.

Mais cette période de l'adolescence est encore trop souvent l'occasion de ruptures et de réorientations douloureuses parce que le dispositif n'offre pas la continuité voulue. Pour peu que le jeune enfant n'ait pas reçu une éducation suffisante en amont, ou que les aides et aménagements spécifiques soient interrompus, l'adolescence peut être marquée par le développement ou le renforcement de troubles du comportement d'autant plus importants que la personne est démunie de moyens de communication.

L'âge adulte

Le passage à l'âge adulte voit se confirmer cette tendance au resserrement des possibilités d'accueil adaptées aux autistes et le nombre de personnes laissées au domicile des parents ou placées dans des établissements qui ne sont pas vraiment adaptés à leurs difficultés est important. Les structures disponibles pour l'orientation des autistes adultes sont théoriquement assez diversifiées avec une palette qui comporte les maisons d'accueil spécialisées, foyers, lieux de vie pour l'hébergement et, lorsque cela est possible, les centres d'aide par le travail, les ateliers protégés. Mais peu de ces établissements sont spécialisés pour l'accueil des personnes atteintes d'autisme et le mélange des populations s'il n'est pas accompagné par des mesures spécifiques pour soutenir l'intégration de la personne autiste, se solde souvent par de gros problèmes. L'éducation structurée qui continue pourtant à être utile est souvent abandonnée et les personnes retournent à leurs occupations stéréotypées, à leur désarroi et au cortège de troubles du comportement qui l'accompagne. Au mieux, c'est l'isolement au sein du groupe qui constitue la réponse de la personne à un environnement peu préparé pour elle. Dans le pire des cas, c'est l'escalade des troubles du comportement, des traitements médicamenteux et l'exposition aux réactions des autres patients qui peuvent aller jusqu'au harcèlement et aux mauvais traitements. Quels que soient la bonne volonté et le dévouement des équipes, il est impossible dans ces conditions d'assurer le minimum de qualité de vie décente pour ces personnes vulnérables.

Il existe aussi des établissements adaptés, ouverts sous l'impulsion des associations de parents mais le nombre de places est bien inférieur à ce qui serait nécessaire. L'ouverture sur la communauté sociale reste étroite et les formules privilégiant l'insertion professionnelle et l'intégration sociale sont peu développées. Elles réclament des moyens pour soutenir la personne handicapée et tous les partenaires du milieu d'accueil, mais cela suppose une volonté d'aller vers ce type de solution avec une confiance suffisante dans la possibilité de succès.

Trop souvent encore et malgré les progrès réalisés, la trajectoire est tracée depuis l'enfance et les personnes avec autisme demeurent confinées en milieu hospitalier. Le rapport de l'ANDEM (1994) faisait état de la situation dramatique de ces enfants qui entraient à l'hôpital par la pédopsychiatrie et menaient toute leur vie en milieu hospitalier sans jamais connaître un autre univers.

ESSAI D'ANALYSE DE LA SITUATION

La France est riche en dispositifs pour la santé et l'éducation, elle est riche en compétences, en bonnes volontés. Des moyens conséquents sont déjà mis au service des personnes handicapées mais ils demeurent insuffisants tant sur un plan quantitatif que qualitatif.

Pour les personnes atteintes d'autisme, les services mis en place correspondent imparfaitement et de manière incomplète aux besoins existants. Malgré la détermination des parents et la motivation de quelques professionnels, les tentatives pour instaurer un système susceptible de couvrir efficacement l'ensemble des besoins des personnes autistes se heurtent à des obstacles encore difficiles à surmonter. Plusieurs facteurs déterminent cette situation.

L'approche pluridisciplinaire : du médical au social

L'organisation administrative correspond à la loi en vigueur en France et celle-ci ne prévoit que depuis peu de temps (loi Chossy, 1996) la prise en compte des besoins éducatifs des enfants porteurs d'autisme. Dans un premier temps, la prise en charge de l'autisme répondait à un modèle essentiellement médical, l'aspect médical étant d'ailleurs limité à l'abord psychiatrique des troubles. Or si l'intervention des médecins est effectivement indispensable, elle se doit d'être pluridisciplinaire au niveau du diagnostic, des investigations qui l'accompagnent dans le but de préciser l'étiologie, et dans le suivi des pathologies associées. Les pédiatres, neuropédiatres, et neurologues ont donc un rôle déterminant à jouer dès le niveau du diagnostic mais aussi dans le suivi des personnes. En dehors de cet apport médical indispensable, l'attention doit être focalisée sur la personne et ses besoins propres sans la placer automatiquement dans le rôle d'un malade.

Mais il reste difficile en France de s'émanciper d'un modèle dans lequel le psychiatre coordonne des actions qui ne se situent pourtant pas forcément dans son champ de compétence. Pourtant, les actions les plus complètes et les plus productives en faveur de la qualité de vie des personnes autistes sortent du champ de la médecine pour s'intéresser à la vie quotidienne dans la famille et à l'insertion dans la communauté sociale. La personne atteinte d'autisme ayant développé des compétences grâce à une éducation de qualité peut la plupart du temps vivre parmi les siens ou dans un établissement sans difficultés majeures si l'environnement est suffisamment sensibilisé à ses modes de fonctionnement particuliers. Mais l'autisme comporte aussi des aspects plus problématiques avec des troubles anxieux, des manifestations obsessionnelles, des troubles dépressifs, des troubles du comportement parfois irréductibles par l'aménagement de l'environnement. C'est à ce niveau que les interventions du psychiatre s'avèrent indispensables. Elles sont également utiles pour la famille lorsque la charge trop lourde et les répercussions du stress lié à une confrontation quotidienne à des difficultés d'adaptation entraînent le développement d'une psychopathologie réactionnelle.

Ainsi, le médical qui doit être présent dans le dispositif d'aide aux personnes atteintes d'autisme peut prendre pleinement sa place dans une organisation où les services utiles à la personne handicapée n'ont pas un caractère systématique mais sont sollicités en fonction des besoins qui se manifestent.

La place de l'éducation

Mais les facteurs d'inertie ne sont pas seulement liés à l'organisation du système. La philosophie qui sous-tend l'intervention avec les personnes atteintes d'autisme représente aussi un obstacle au développement d'une nouvelle politique. L'intégration sociale des handicapés mentaux même si elle est prévue par la loi soulève encore de nombreux problèmes en France. Notamment dans le domaine de l'autisme, longtemps perçu comme une maladie mentale, l'ouverture des ressources offertes par la communauté sociale reste souvent problématique. La valeur préventive des interventions éducatives qui limitent le développement des troubles du comportement dans la mesure où elles facilitent l'adaptation de la personne à son environnement physique et social n'est pas encore appréciée à sa juste mesure. De ce fait, les prises en charges ne se placent pas encore dans une véritable perspective de préparation à l'intégration et à la vie dans la communauté sociale. Il subsiste une grande frilosité à l'égard des formules d'insertion qui prévoient de faire sortir l'individu de l'institution pour lui accorder une place véritable dans la société. Les préjugés de non-faisabilité conduisent à ne pas accorder la confiance suffisante aux personnes et aux équipes qui les soutiennent et à ne pas permettre l'expérimentation de dispositifs innovants. Pourtant, les modalités de l'intégration sociale peuvent être diversifiées et déboucher sur des expériences personnelles et familiales gratifiantes pour tous avec en supplément, la réduction des coûts pour la collectivité.

Enfin, la réticence plus ou moins clairement exprimée à l'égard du modèle cognitivo-comportemental qui sous-tend la démarche éducative est elle aussi fortement responsable de l'inertie observée. Le modèle psychodynamique, privilégié pendant longtemps, préconisait la non-intervention pour attendre que naisse la motivation du sujet et cela a gravement nui à la reconnaissance en France de pratiques qui sont pourtant validées ailleurs. Les applications du modèle cognitivo-comportemental n'ont pas le caractère étroit et répétitif que leurs détracteurs continuent à leur attribuer, soit par ignorance, soit par idéologie. Le recours aux évaluations, à l'analyse fonctionnelle des situations et à la théorie de l'apprentissage pour favoriser le développement de comportements plus adaptés et gérer les troubles du comportement sont autant de points forts de l'approche cognitivo-comportementale. L'évolution de ce modèle est permanente et la pratique qui s'en inspire s'est progressivement enrichie. La dimension relationnelle est prise en compte et même privilégiée et ce, d'autant plus que la démarche est centrée sur le sujet, son confort et le développement de compétences aptes à lui donner une meilleure qualité de vie. La dimension cognitive ne se limite pas à des apprentissages de base liés à l'adaptation à l'environnement physique mais elle touche aussi les aspects plus sociaux du fonctionnement et permet de travailler sur le développement de la communication et des échanges relationnels. Actuellement, les travaux sur les aspects cognitifs permettent de mieux cerner les mécanismes de la pensée autistique, ce qui pourrait déboucher sur des applications pratiques, avec en particulier une amélioration des programmes éducatifs au niveau de l'entraînement à la communication, à l'autocontrôle et à la résolution de problèmes, tout au moins pour les autistes de haut niveau.

Le travail avec les parents

En France, la formation dispensée aux professionnels les prépare peu à une authentique démarche de collaboration avec les familles. Le présupposé de supériorité des professionnels spécialistes induit automatiquement un déséquilibre dans les relations et nuit à la mise en place d'une collaboration effective. Certes, il peut être difficile de travailler avec des parents lorsque leurs demandes semblent démesurées et lorsqu'ils attendent des professionnels qu'ils fassent progresser l'enfant en négligeant parfois les limites inhérentes à son handicap. Face à ces situations problématiques, le rôle des parents peut être insidieusement mais parfois aussi plus directement remis en question. Or une véritable démarche de collaboration requiert son acceptation au-delà des premières difficultés. Elle doit s'appuyer sur le respect mutuel et la négociation. Il est indispensable que les partenaires partagent une culture commune qui les aide à analyser ensemble les situations problématiques et à mettre en place des solutions issues de la concertation. Lorsque l'exigence impatiente d'un parent rencontre l'empathie, la compréhension et la compétence d'un professionnel averti, tous deux trouvent ensemble une voie intermédiaire dans laquelle l'attente du parent est respectée mais infléchie en fonction de certaines réalités et transformée positivement au bénéfice de la personne porteuse d'autisme.

La formation

La formation des professionnels aux caractéristiques de l'autisme et à l'approche structurée est l'un des éléments clé du dispositif de soutien aux personnes porteuses d'autisme. Elle est pour le moment insuffisante même si des progrès notables ont été réalisés. Certains cursus initiaux ont intégré des enseignements sur l'autisme avec une progression et un nombre d'heures de formation qui permettent de préparer véritablement des professionnels compétents. Le renouveau le plus sensible s'est produit dans la formation des psychologues. Plusieurs universités qui ont recruté des enseignants spécialistes de l'autisme ont mis en place des enseignements théoriques et pratiques à différents niveaux du cursus et ont construit de véritables parcours de formation dans lesquels le jeune psychologue élabore ses connaissances et développe des savoir-faire qui sont opérationnels dès l'entrée dans le monde du travail. Les psychologues qui ont suivi ces cursus sont actuellement les professionnels les mieux formés pour aborder le travail avec les personnes autistes. Ils disposent d'outils pour le diagnostic et l'évaluation, de connaissances approfondies sur le développement normal, sur l'autisme et sur le fonctionnement qui en découle. Ils savent construire un programme éducatif individualisé. Ils ont également intégré des schémas de travail en partenariat avec les familles et avec les équipes. Dans leurs stages pratiques, ils ont expérimenté l'approche éducative auprès de personnes atteintes d'autisme et peuvent ensuite accéder à une position de supervision du travail des équipes éducatives.

Les cursus de médecine ont maintenant intégré les nouvelles approches de l'autisme mais le volume horaire consacré aux troubles du développement reste peu important au regard de l'importance des connaissances requises pour une bonne compréhension de l'autisme. Des diplômes d'université spécialisés ont été mis en place. Ils sont situés suivant le cas à la faculté de médecine ou dans les universités de lettres et sciences humaines en psychologie. Lorsque ce type de diplôme vient en conclusion d'un cursus déjà solide, il consacre la spécialisation indispensable au travail avec des personnes atteintes d'autisme. Mais quand il constitue le seul élément de spécialisation en autisme, il ne représente qu'une sensibilisation et demeure insuffisant pour une approche professionnelle véritablement efficace.

Les programmes des autres disciplines dont les professionnels seront impliqués dans la prise en charge des autistes sont très variables d'une école à l'autre et une harmonisation est certainement souhaitable pour que le minimum requis soit intégré dans les cursus des enseignants, des élèves éducateurs, psychomotriciens, orthophonistes, infirmiers et autres professions susceptibles d'intervenir auprès d'autistes.

La formation des parents est tout aussi indispensable mais elle n'est pas encore admise par tous. Les parents d'un enfant atteint d'autisme ont à faire face au quotidien à des difficultés de décodage du mode de fonctionnement de l'enfant et à des difficultés d'ajustement. L'intégration des informations relatives aux spécificités de l'autisme représente un outil de compréhension indispensable pour un soutien efficace au développement de l'enfant et pour une amélioration de la relation entre l'enfant et ses parents.

Les manques au niveau des formations initiales ont été jusqu'à présent compensés par des formations spécialisées dispensées soit par l'université, soit par des organismes de formation.

Professionnels et parents ont tout à gagner à rechercher la formation la plus complète possible. Il y va de leur compétence à comprendre la personne dont ils s'occupent, à mieux aménager l'environnement pour elle et finalement de leur capacité à mettre toutes les chances de leur côté pour établir une relation de confiance porteuse de progrès et de satisfactions partagées.

LES PERSPECTIVES : À QUOI LES ENFANTS ONT-ILS DROIT ET QUE DEMANDENT LEURS PARENTS ?

Un diagnostic établi selon les critères reconnus

Le diagnostic doit être développé en se référant aux critères reconnus par la communauté scientifique internationale et en s'appuyant sur des outils standardisés et validés. Ces techniques demandent à être utilisées de manière compétente, c'est-à-dire qu'une formation est nécessaire. Cette formation comporte non seulement l'apprentissage des procédures d'application et d'enregistrement des anomalies mais aussi et surtout l'apprentissage de la cotation et la pratique intensive de cette cotation pour parvenir à un accord suffisant avec des experts. Mais le diagnostic ne saurait être complet s'il s'arrêtait à cette approche clinique et psychométrique. Les pédiatres et neuropédiatres ont une contribution essentielle à apporter. Au-delà des signes cliniques qu'ils peuvent eux aussi repérer, ils procèdent à un examen somatique et posent l'indication d'examens paracliniques destinés à la recherche d'une étiologie. Une étiologie précise n'est à l'heure actuelle pas toujours retrouvée mais cela ne dispense pas de ces investigations qui peuvent avoir un impact sur la compréhension du désordre et parfois apporter des indications pour des mesures thérapeutiques qui certes, n'ont pas pour objectif de traiter directement l'autisme, mais qui peuvent améliorer l'état de santé de l'enfant et son confort.

Il est important pour les parents d'identifier le trouble et de le comprendre. C'est contre lui qu'ils auront à lutter pour soutenir le développement de leur enfant et mettre en place toutes les aides nécessaires à son confort et à son épanouissement.

Tout diagnostic implique une conduite à tenir. Même si les étiologies de l'autisme ne sont pas encore entièrement cernées, la notion d'un trouble du développement neuropsychologique s'impose maintenant au regard des données scientifiques accumulées. Les traitements curatifs n'existent pas en matière d'autisme, mais les effets d'une prise en charge précoce sont connus. L'identification du trouble selon les critères validés est donc essentielle. Elle détermine la compréhension du comportement de l'enfant et évite l'errance médicale qu'ont connue des générations de parents impuissants devant l'absence de diagnostic.

Une intervention précoce et efficace

Le diagnostic réalisé précocement est un atout pour l'évolution ultérieure de l'enfant mais on ne saurait préconiser le diagnostic précoce sans prévoir derrière le dispositif d'aide adapté. Il n'est en effet pas acceptable du point de vue de l'éthique, de dépister un trouble sans proposer le traitement qui convient aussitôt. À ce niveau, la seule approche ayant produit quelques éléments de validation des effets au niveau international est l'intervention précoce intensive reposant sur un modèle comportemental.

Il est connu maintenant que la mise en place d'un programme d'activités adapté et appliqué de manière intensive dans les différents environnements fréquentés par l'enfant est déterminante pour son évolution. Cela suppose l'implication de différents professionnels de la petite enfance, éducateurs spécialisés dans ce type d'intervention mais aussi personnels de crèche ou de halte garderie, enseignants de l'école maternelle et autres personnels présents dans le milieu scolaire. Cela signifie aussi l'intervention à domicile pour apporter le soutien technique et émotionnel aux parents qui vont s'engager dans le programme aux côtés des professionnels.

Plusieurs facteurs viennent justifier la mise en place de services spécifiques dès l'identification de l'autisme. Le soutien immédiat au développement est décisif dans cette période critique où tous les progrès sensori-moteurs et relationnels conditionnent la suite de l'évolution de l'enfant. L'éducation adaptée dès la période la plus précoce du développement permet aussi une prévention des troubles qui s'installent généralement en conséquence des déficits primaires et donne la possibilité de commencer à apprendre à l'enfant des stratégies de communication fonctionnelles avant que ne s'installent des modes aberrants de communication. L'intervention précoce impliquant les parents apporte une information à la famille et permet le soutien de son ajustement à l'enfant autiste par une meilleure compréhension de son fonctionnement. Dans ce contexte, la famille apprend certaines stratégies pour stimuler l'enfant de manière adaptée et pour développer à la maison des compétences correspondant à son niveau et à ses difficultés. Enfin, l'éducation précoce s'accompagne d'un soutien apporté à la famille, et d'un travail spécifique destiné à faciliter le maintien du réseau social qui entoure cette famille pour consolider le soutien mais aussi potentialiser des ressources supplémentaires auprès de l'enfant. Le style de vie de la famille est pris en compte et les aides nécessaires mises en place. Car il ne s'agit pas d'exiger des parents qu'ils s'investissent dans un travail intensif en courant le risque de faire naître la culpabilité lorsque la famille ne parvient pas à fournir ce qui est préconisé. Il s'agit plutôt d'activer toutes les participations possibles, d'activer le réseau des relations familiales et amicales, d'apporter la contribution conséquente de professionnels et parfois de bénévoles, en s'ajustant au maximum à ce que souhaite la famille, à ce qu'elle peut faire et en respectant son style de vie. À ce niveau comme à d'autre, le décloisonnement entre les différentes actions est essentiel. Par exemple, l'implication des étudiants en formation et sous supervision de professionnels expérimentés est une formule satisfaisante dans la mesure où elle permet de décupler les moyens au service des enfants et des familles, tout en améliorant la formation pratique des futurs professionnels.

Des services diversifiés, performants, et inscrits dans la continuité

Dès la petite enfance, les besoins des enfants concernent tous les aspects de leur vie. Il ne suffit pas de les placer dans une structure qui couvre partiellement leur emploi du temps. Il est également important d'appréhender l'ensemble des environnements qu'ils ont à aborder. Il n'est pas acceptable que les prises en charge se limitent comme c'est parfois le cas à quelques heures par semaine. La véritable prise en compte de leurs besoins s'étend à des aides concernant la crèche, l'école mais aussi les centres de loisir et les vacances. Les aides spécifiques que justifient les déficits et les modes de fonctionnement liés à l'autisme ne peuvent être limitées ni à un secteur d'activité, ni à une période de la vie. L'éducation est l'outil pour l'accès aux ressources de la communauté sociale et elle doit se concevoir dans le cadre d'un partenariat entre les différents acteurs de l'intégration.

L'éducation dans des établissements de l'enseignement spécialisé demande pour les autistes, la mise en place de petites unités organisées en fonction des besoins de structuration et d'individualisation. C'est de toute façon vers les établissements du médico-social que les enfants sont maintenant le plus souvent orientés alors qu'antérieurement, les hôpitaux de jour avaient la priorité pour leur accueil. Un grand pas est franchi puisque dans ces orientations s'inscrit clairement la nécessité d'une éducation spéciale. Mais il faut alors que les moyens soient donnés aux équipes qui s'engagent ainsi dans la voie de l'éducation structurée.

L'école est l'un des lieux très porteur de la progression d'un enfant atteint d'autisme. Les formules d'intégration scolaires peuvent varier. La classe spéciale intégrée en milieu ordinaire constitue la solution apte à préparer au mieux les enfants en leur fournissant un programme individualisé et un accompagnement lors des intégrations. Ce type de dispositif, inscrit dans le cadre d'une école ordinaire permet aussi de pratiquer l'intégration inversée, c'est-à-dire celle qui consiste à accueillir les enfants sans difficulté au sein de la classe spéciale pour qu'ils viennent y participer à des activités avec les enfants atteints d'autisme. Cette formule est attrayante car elle sensibilise les enfants ordinaires au handicap, permet de les préparer à devenir tuteur d'un pair autiste, et ce faisant, les valorise dans le rôle qu'ils acceptent de jouer. Lorsque l'enfant est intégré à titre individuel, la présence d'un auxiliaire de vie scolaire permet à la fois le guidage et le soutien individuel pour les apprentissages et la médiation sociale nécessaire pour que la présence en milieu scolaire ne se solde pas par un isolement au sein du groupe. Ici encore, la présence d'enfants tuteurs sensibilisés et soutenus dans leur tâche par l'auxiliaire de vie scolaire peut être un outil intéressant pour favoriser une intégration de qualité.

Le rôle de la structure de soutien est essentiel. Quelle que soit la forme légale, SESSAD ou établissement, cette structure constitue le dispositif qui apporte l'aide technique indispensable. L'évaluation des enfants, l'élaboration des programmes individualisés, la supervision de leur mise en œuvre, l'animation de l'équipe éducative, de même que les contacts réguliers avec les familles pour la généralisation à domicile, les réajustements et le soutien psychologique sont assurés par les psychologues dont la formation comporte depuis plusieurs années maintenant le développement de ces compétences très spécifiques. Le suivi médical des enfants et l'intervention en cas de problème psychopathologique chez l'enfant reste du domaine des psychiatres qui peuvent aussi jouer un rôle important auprès des équipes et des familles pourvu qu'ils s'inscrivent clairement dans les objectifs éducatifs du dispositif. De leur positionnement très clair dépendent l'adhésion des familles et leur possibilité de s'intégrer à l'équipe en vue d'un apport de leurs compétences spécifiques.

À l'adolescence et à l'âge adulte les établissements spécialisés, de même que les établissements scolaires peuvent offrir encore une éducation adaptée. Celle-ci devrait être en cohérence avec le travail réalisé au préalable, permettre une transition souple vers le milieu correspondant à l'âge de la personne et anticiper déjà sur les besoins liés au projet de vie.

L'insertion professionnelle des jeunes adultes autistes constitue un défi important à relever car elle représente la concrétisation des efforts réalisés en amont et elle participe à la véritable intégration sociale. L'insertion professionnelle appelle des mesures spécifiques qui se situent dans la continuité des pratiques éducatives adoptées à l'âge scolaire. Il s'agit de tenir compte des difficultés propres aux personnes autistes, mais aussi des particularités et des points forts de chaque individu. Il convient de tenir compte du milieu d'accueil, du degré d'adaptation possible des emplois proposés, et de la capacité de l'environnement à soutenir l'intégration de la personne autiste en coopérant avec l'équipe de professionnels intervenant lors de la première phase de mise au travail. Il est également important d'offrir à la personne autiste une supervision modulable en fonction de ses besoins et de ceux de l'entreprise qui l'accueille.

Toutes les formules d'insertion doivent pouvoir être étudiées au cas par cas et s'inscrire dans un projet de vie pour la personne atteinte d'autisme. En ce sens, la réflexion doit s'étendre à l'hébergement et des dispositifs d'aide à l'autonomie pour vivre de manière indépendante ou dans de petites unités protégées sont à développer. Ces unités de vie représentent des alternatives intéressantes aux établissements pour adultes qui ont bien sûr eux aussi leur utilité.

La continuité des prises en charge reste la grande fragilité de notre système et de gros efforts de coordination des équipes qui s'impliquent dans l'aide apportée aux différents âges de la vie sont encore à réaliser. À cet égard, la pratique du plan de service individualisé développée dans des Pays comme le Canada et la Belgique représente un outil intéressant pour articuler de manière cohérente l'aide proposée tout au long de la vie. Elle permet le suivi de toutes les actions mises en œuvre pour une personne handicapée. Les interventions sont organisées en fonction des objectifs définis par un groupe auquel participent les parents. Elles sont coordonnées par un responsable dont le rôle n'est pas défini en fonction de sa position hiérarchique ou de sa spécialité, mais en fonction de son implication auprès de la personne handicapée et de sa capacité à accéder aux ressources utiles pour remplir sa tâche au mieux. Il s'agit d'un système qui mobilise fortement tous les partenaires au sein de la communauté sociale et qui renforce ainsi les chances d'insertion de la personne handicapée.

FAITS ET ACTES

Aider les personnes atteintes d'autisme c'est leur permettre d'accéder à une condition digne qui va de pair avec une insertion sociale de qualité. Cela passe par l'identification de leur trouble, la compréhension de leurs particularités et l'organisation de services qui leur permettent de se développer au mieux de leurs potentialités pour trouver une place dans la communauté sociale. Cela suppose la prise en compte des progrès réalisés en matière de recherche scientifique. Il faut rompre avec les modèles anciens, arrêter de considérer ces personnes comme des malades à vie et mettre en place le dispositif qui leur convient.

Cette démarche passe par la définition des besoins, la définition des moyens et par les décisions qui en découlent.

Les besoins d'une personne atteinte d'autisme se déclinent selon trois axes principaux : le médical, l'éducatif et le social. Ces besoins ne sont pas identiques aux différentes étapes de la vie et n'ont pas le même poids pour répondre à un objectif d'insertion sociale et de qualité de vie. Le volet médical est décisif au moment du diagnostic clinique et étiologique. Il s'inscrit ensuite dans un ensemble de services qui doivent être disponibles mais pas imposés et surtout pas systématiques. L'enfant qui a une pathologie associée doit pouvoir bénéficier d'un suivi médical adapté par un pédiatre. Celui qui développe des troubles qui relèvent de la pédopsychiatrie doit bénéficier des soins d'un spécialiste. La personne dont l'intensité des troubles justifie l'accueil en psychiatrie pour des soins adaptés doit en bénéficier sans réserve. Mais l'enfant qui a trouvé sa place à l'école, bénéficie du soutien d'un psychologue dans ce cadre et d'un soutien efficace de sa famille peut voir l'intervention médicale allégée et dispensée en fonction de ses besoins ponctuels. À l'heure où la médecine connaît une crise sérieuse qui va s'amplifier dans les années à venir, du fait de la diminution du nombre de praticiens formés, pourquoi continuer à tout organiser selon un modèle médical qui de plus, n'est pas toujours le plus adapté ? Les compétences médicales spécialisées sont trop précieuses et trop coûteuses pour qu'elles se trouvent appliquées systématiquement là où elles ne sont pas forcément utiles et là où les compétences d'autres catégories professionnelles sont les plus ajustées aux besoins des personnes et du groupe social.

L'éducation est par contre l'axe fort, le fil rouge qui va permettre à l'enfant de traverser la vie en saisissant toutes les opportunités d'apprentissages. Il s'agit d'enfants particuliers dont l'éducation doit prendre en compte les points faibles et les points forts ainsi que les aspects singuliers de leur développement. Réussir l'éducation d'un enfant avec autisme, c'est lui donner les outils lui permettant de communiquer et de devenir le plus autonome possible.

La différence fondamentale entre l'enfant ordinaire et l'enfant atteint d'autisme réside au niveau de la spontanéité des apprentissages. L'enfant qui n'a pas de problèmes de développement est apte à capter toutes les sources de stimulation, à s'appuyer sur toutes les expériences et à solliciter les adultes pour intégrer de nouvelles informations et mettre en place de nouvelles compétences. Même en tenant compte de cette capacité de l'enfant ordinaire à apprendre, il serait inconcevable de compter uniquement sur son développement spontané pour l'amener à progresser vers sa vie d'adulte autonome et responsable. Pourquoi en serait-il autrement pour un enfant dont l'une des particularités est justement de ne pas apprendre spontanément. L'enfant porteur d'autisme a besoin d'un contexte et d'une incitation sans lesquels il n'apprendra pas ou ne fera que des acquisitions partielles et peu ajustées aux demandes de l'environnement. Le laisser livré à lui-même, en considérant que la liberté pour lui est de décider quand il voudra communiquer et quand il décidera d'apprendre, c'est le condamner à ne pas acquérir ce dont il a besoin pour vivre dans la communauté sociale, c'est l'abandonner à un cercle infernal dans lequel la non-éducation appelle l'enfermement, l'impuissance face à un environnement incompris, les dérives de l'agression et de l'autoagression, l'impuissance face à un contexte hermétique pour lui. Apprendre à communiquer, apprendre à décoder le monde, apprendre à agir sur l'environnement, c'est gagner une parcelle de liberté, de confort et de partage social.

Le volet social représente à la fois l'objectif à atteindre et l'outil pour y parvenir. L'intégration sociale bien pensée et bien soutenue constitue en effet un moyen par lequel l'enfant, confronté au monde dans lequel on souhaite le voir évoluer va utiliser ses acquis, les consolider et les mettre au service de son adaptation. Le social, c'est aussi la cible visée, c'est l'insertion véritable, c'est la définition d'une place et d'un rôle dans le groupe social.

Un dispositif complet assurant le diagnostic, l'évaluation, le suivi médical, l'éducation, la scolarisation puis l'intégration dans la communauté sociale à l'âge adulte reste à développer à l'échelon régional. Une organisation qui comporte un centre de référence pour le diagnostic, l'évaluation et la coordination des services, a été expérimentée dans plusieurs pays d'Amérique du Nord et d'Europe et son caractère opérationnel est maintenant reconnu. Il permet aux familles de trouver un appui permanent, de recevoir une information claire sur la pathologie de leur enfant et d'accéder à des services médicaux, éducatifs et sociaux adaptés.

Le dispositif proposé aux familles devrait coordonner l'ensemble des actions développées, les services délivrés représentant une gamme de possibilités offertes aux familles. Le choix, guidé par des conseils de professionnels revient aux parents qui ne peuvent se voir imposer des prestations dont ils n'ont pas besoin pour eux-mêmes ou pour leur enfant. Un tel service « à la carte » présente l'avantage de permettre la diversification des formules proposées sans entraîner automatiquement une augmentation incontrôlée des coûts. À l'exception de rares familles qui n'ont pas la faculté de jugement souhaité et qui ont besoin de la tutelle des professionnels, la grande majorité des parents est tout à fait à même d'effectuer ce type de choix pour son enfant et d'exercer ainsi pleinement son autorité parentale.

Quels moyens pour répondre à ces besoins ?

L'accessibilité à la vie sociale réclame une prise en compte de la différence, et la mise en place des aides destinées à aplanir les obstacles. Comme les handicapés physiques ont besoin d'aménagements de l'environnement et d'outils pour compenser leurs déficits, les autistes ont besoin des adaptations qui leur rendront le cadre de vie lisible et donc attractif. Ils doivent pouvoir s'appuyer sur des outils qui leur permettent d'accéder à la communication et au partage social.

Les moyens ont à être pensés en fonction des besoins individuels de la personne, à être élaborés « sur mesure » et en fonction des connaissances actuelles sur l'autisme. Cela signifie que les pratiques doivent être revues à la lumière des faits nouveaux et que ces pratiques doivent être évaluées afin de s'inscrire dans un dispositif d'aide le plus performant possible. La démarche qualité suppose une description des procédures et une évaluation des pratiques. Il n'est pas acceptable que les soins proposés ne puissent être formalisés d'une manière pragmatique qui soit accessible à l'évaluation. Les affirmations uniquement théoriques ne suffisent pas à justifier un type de soin plutôt qu'un autre. Pourquoi dans ce domaine particulier les opinions plus que les connaissances scientifiques guideraient-elles les pratiques ? L'éducation comme principale thérapeutique est maintenant validée dans un grand nombre de pays étrangers. Si l'on veut réellement et honnêtement apprécier la faisabilité de ce type de programmes, et à l'heure où la recherche de la qualité passe par l'évaluation des pratiques, il conviendrait de leur permettre un développement authentique, ne serait-ce que dans une version expérimentale mais complète et non contaminée par des « ajustements » qui en altèrent profondément le sens. Prétendre intégrer l'approche éducative à ses pratiques alors même que les principes de base ne sont pas acceptés n'est sans doute pas la meilleure manière de tester l'efficacité d'un modèle qui a fait ses preuves partout ailleurs mais qui a du mal à s'implanter en France alors même qu'il peut améliorer la qualité de vie des personnes autistes, de leurs familles et des professionnels qui les soutiennent.

De ces évaluations devraient découler l'orientation des moyens financiers. Il est temps de jeter un œil critique sur l'utilisation des fonds qui sont accordés pour venir en aide aux personnes atteintes d'autisme. La collectivité ne peut pas se permettre de payer pour des mesures qui ne sont pas validées, qui ne montrent pas leur efficacité et qui sont parfois refusées par les usagers. Il est indispensable que les parents puissent choisir les services dont leur enfant a besoin et qu'ils ne soient pas les otages d'un système dans lequel une organisation prédéterminée leur impose un établissement ou un mode de prise en charge qu'ils ne jugent pas adapté. En ce sens, la notion de budget personnalisé attribué à la personne et géré en fonction de ses besoins est une idée forte pour rationaliser l'attribution des moyens. Cette approche mise en place aux Pays-Bas va de pair avec une accréditation rigoureuse des services proposés et une mise à disposition à la carte en fonction de la lourdeur et de la spécificité du handicap de la personne.

Les besoins étant identifiés et les moyens à mettre en œuvre cernés, il reste à décider. La volonté d'aller dans ce sens suppose le partage d'une culture commune qui permette un autre regard porté sur le handicap que constitue l'autisme. Les personnes atteintes d'autisme ont besoin de nous tous pour vivre leur vie dans les meilleures conditions possibles, elles ont besoin de compréhension, mais elles ont aussi besoin d'actes : des mesures pragmatiques pour les aider au quotidien et soutenir leurs familles, et des décisions, des actes politiques pour que les moyens correspondant à leurs besoins soient accordés et correctement orientés…

BIBLIOGRAPHIE

ADRIEN J.-L. (1996), « Autisme du jeune enfant. Développement psychologique et régulation de l'activité », Paris, *Expansion scientifique française*.

ADRIEN J.-L., FAURE M., PERROT A., HAMEURY L., GARREAU B., BARTHELEMY C., SAUVAGE D. (1991), « Autism and family home movies : Preliminary findings », *Journal of Autism and Developmental Disorders*, 21, 43-49.

ADRIEN J.-L., ORNITZ E., BARTHELEMY C., SAUVAGE D., LELORD G. (1987), « The presence or absence of certain behaviors associated with infantile Autism in severely retarded autistic and non autistic retarded children and very young children ». *Journal of Autism and developmental Disorders*, 17, 3, 407-416.

ADRIEN J.-L., LENOIR P., MARTINEAU J., PERROT A., HANEURY L., LARMANDE C., SAUVAGE D. (1993), « Blind ratings of early symptoms of autism based upon family home movies », *Journal of the American Academy of Child and Adolescent Psychiatry*, 32, 617-626.

ADRIEN J.-L., PERROT A., SAUVAGE D., LEDDET I., LARMANDE C. HAMEURY L., BARTHÉLÉMY C. (1992), « Early symptoms in autism from Family home movies : Evaluation and comparison between 1st and 2nd year of life using IBSE scale », *Acta Paedopsychiatrica*, 55, 71-75.

ALLISON T., PUCE A., MCCARTHY G. (2000), « Social perception from visual cues : Role of the STS region », *Trends in Cognitive Sciences*, 4, 267-278.

AMIR R. E., VAN DEN VEYVER I. B., WAN M., TRAN C. Q., FRANCKE U., ZOGHBI H. Y. (1999), « Rett syndrome is caused by mutations in X-linked MECP2, encoding methyl-CpG-binding protein 2 », *Nat. Genet.*, 23, 185-188.

ANDEM (Agence nationale pour le développement de l'évaluation médicale), SOARES-BOUCAUD I., FLEURETTE F., GEPNER B. (1994), *Rapport sur l'Autisme*.

APA (1994), *Diagnostic and Statistical Manual of Mental Disorders* (4ᵉ éd., DSM-IV), Washington DC, Author, trad. fr. 1996 Paris, Masson.

APA (2000), *Diagnostic and Statistical Manual of Mental Disorders* (4ᵉ éd., DSM IV- TR), Washington DC, Author.

ATWOOD T. (1998), *Asperger's Syndrome, A Guide for Parents and Professionals*, Jessica Kingsley ; trad. fr. Paris, Dunod, 2003.

ATWOOD A. J., FRITH U., HERMELIN B. (1988), « The understanding and use of interpersonal gestures by autistic and Down's syndrome children », *Journal of Autism and Developmental Disorders*, 18, 241-258.

BARANEK G. (1999), « Autism during infancy : a retrospective video analysis of sensori-motor and social behaviors at 9-12 months of age », *Journal of Autism and Developmental Disorders*, 29 (3), 213-224.

BARON-COHEN S. (1989), « Are autistic children « Behaviorists » ? An examination of their Mental-Physical and Appearance-Reality distinctions », *Journal of Autism and Developmental Disorders*, vol. 19, n° 4, 579-600.

BARON-COHEN S. (1993*a*), « From attention-goal psychology to belief desire psychology : The development of a theory of mind, and its dysfunction », in S. Baron-Cohen, H. Tager-Flusberg et D. J. Cohen (ed.), *Understanding other Minds : Perspectives from Autism*, Oxford, England, Oxford University Press.

BARON-COHEN S. (1993*b*), « Autisme : un trouble cognitif spécifique, la « cécité mentale » », *Approche neuropsychologique des apprentissages chez l'enfant* (ANAE), 5, 146-154.

BARON-COHEN S., ALLEN J., GILLBERG C. (1992), « Can autism be detected at 18 months ? The needle, the haystack, and the chat », *British Journal of Psychiatry*, 161, 839-43.

BARON-COHEN S., COX A., BAIRD G., SWETTENHAM J., DREW A., NIGHTINGALE N., MORGAN K., CHARMAN T. (1996*)*, « Psychological markers in the detection of autism in infancy in a large population », *British Journal of Psychiatry* 168, 158-63.

BARON-COHEN S., HOWLIN P., HADWIN J., SWETTENHAM J. (1998), *Teaching Children with Autism to Mindread*, New York, John Wiley et Sons Inc.

BARON-COHEN S., LESLIE A. M., FRITH U. (1985), « Does the autistic child have a « theory of mind » ? », *Cognition*, 21, 37-46.

BARON-COHEN S., RING H., MORIARTY J., SCHMITZ B., COSTA D., ELL P. (1994), « The brain basis of the theory of mind : the role of the orbitofrontal region », *British Journal of Psychiatry*, 165, 640-649.

BARON-COHEN S., RING H. A., WHEELWRIGHT S., BULLMORE E. T., BRAMMER M. J., SIMONS A., WILLIAMS S. C. (1999), « Social intelligence in the normal and autistic brain : an fMRI study », *European Journal of Neurosciences*, 11, 1891-1898.

BARON-COHEN S., TAGER-FLUSBERG H., COHEN D. J. (1996), *Understanding other Minds, Perspectives from Autism ?*, Oxford, England, Oxford University Press.

BARRETT S., BECK C. J., BERNIER R., BISSON E., BRAUN T. A., CASAVANT T. L. *et al.* (2000), « An autosomal genomic screen for autism », *Am. J. Med. Genet.*, 88, 609-615.

BARTAK L. (1978), « Educational approaches », *in* M. Rutter et E. Schopler (éd.) *Autism : A Reappraisal of Concepts and Treatment*, New York, Plenum Publishers, p. 423-438.

BARTAK L., RUTTER M. (1973), « Special educational treatment of autistic children : A comparative study », *Journal of Child Psychology and Psychiatry*, 14, 162-179.

BENNETTO L. (1999), « A componential approach to imitation and movement deficits in autism », *Dissertation Abstracts International*, 60 (2-B), 0819.

BERUMENT S. K., RUTTER M., LORD C., PICKLES A., BAILEY A. (1999), « Autism screening questionnaire : diagnostic validity », *British Journal of Psychiatry*, 175, 444-451.

BISHOP D.V.M. (1989), « Autism, Asperger's Syndrome and semantic-pragmatic disorder : where are the boundaries ? », *British journal of Disorders of Communication* 24, 107-21.

BODDAERT N., BELIN P., POLINE J.-B., CHABANNE N., MOUREN-SIMEONI M.-C., Barthélémy C., Samson Y., ZILBOVICIUS M. (2001), « Temporal lobe dysfunction in autism : A PET auditory activation study », *NeuroImage*, 13, S01128.

BOUCHER J. (1989), « The theory of mind hypothesis of autism : explanation, evidence and assessment », *British Journal of Disorders of Communication,* 24, 181-98.

BOWLER D. M. (1992), « Theory of mind in Asperger Syndrome », *Journal of Child Psychology and Psychiatry*, 33, 877-93.

BRUNET O. LÉZINE I. (1976), *Le développement psychologique de la première enfance* (5e édition), Issy-les-Moulineaux, Éditions scientifiques et psychologiques.

BURD L., FISHER W., et KERBESHIAN J. (1989), « Pervasive developmental disorder : Are Rett syndrome and Heller dementia infantilis subtypes ? », *Developmental Medicine and Child Neurology*, 31 (5), 609-616.

CANTWELL D.P., BAKER L (1984), « Research concerning families of children with autism ». *In* Schopler E., Mesibov G.B. (eds) *The effects of autism on familiy*. New York : Plenum, 41-59.

CHABROL H., BONNET D., ROGÉ B. (1996), « Psychopharmacologie de l'autisme », *L'Encéphale*, XXII, 197-203.

CHARMAN T., SWETTENHAM J., BARON-COHEN S., COX A. BAIRD G., DREW A. (1997), « Infants with autism : an investigation of empathy, pretend play, joint attention, and imitation ». *Developmental Psychology*, 33 (5), 781-789.

CIESIELSKI K. T., HARRIS R. J. (1997), « Factors related to performance failure on executive tasks in autism », *Child Neuropsychology*, 3, 1-12.

COHEN D. J., PAUL R., VOLKMAR F. R. (1986), « Issues in the Classification of Pervasive developmental disorders : towards DSM-IV », *Journal of the American Academy of Child Psychiatry*, 25, 213-220.

COHEN D. J., VOLKMAR F. R. (1997), *Handbook of Autism and Pervasive Developmental Disorders*, 2ᵉ éd., New York, John Wiley et Sons Inc.

COLEMAN M., GILLBERG C. (1986), *The biology of the autistic syndromes*, Praeger Publishers, Trad. fr. 1986, *Biologie des syndromes d'autisme*, Edisem/Maloine.

COMINGS D. E., WU S., MUHLEMAN D., SVERD J. (1996), « Studies of the c-Harvey-Ras gene in psychiatric disorders », *Psychiatry Res*, 63, 25-32.

CORBETT B., KHAN K., CZAPANSKY-BEILMAN D., BRADY N., DROPIK P., ZELINSKY GOLDMAN D., DELANEY K., SHARP H., MUELLER I., SHAPIRO E., ZIEGLER R. (2001), « A double-blind, placebo-controlled crossover study investigating the effect of porcine secretin in children with autism », *Clinical Paediatrics*, 40, 327-331.

CORNISH K. M., McMANUS I. C. (1996), « Hand preference and hand skill in children with autism », *Journal of Autism and Developmental Disorders*, 26 (6), 597-610.

COURCHESNE E., TOWNSEND J., CHASE C. (1995), « Neurodevelop-

mental principles guide research on developmental psychopathologies », in D. Cicchetti et D. J. Cohen (éd.), *Developmental Psychopathology*, vol. 1 : *Theory and Methods*, 195-226.

CRITCHLEY H. D., DALY E. M., BULLMORE E. T., WILLIAMS S. C., VAN AMELSVOORT T., ROBERTSON D. M., ROWE A., PHILLIPS M., McALONAN G., HOWLIN P., MURPHY D. G. (2000), « The functional neuroanatomy of social behaviour : Changes in cerebral blood flow when people with autistic disorder process facial expressions », *Brain*, 123, 2203-2212.

DAMASIO A. R., MAURER R. G. (1978), « A neurological model for childhood autism », *Archives of Neurology*, 35, 777-786.

DAWSON G., ADAMS A. (1984), Imitation and social responsiveness in autistic children. *Journal of Abnormal Child Psychology*, 12, 209-226

DAWSON G., OSTERLING, J. (1997), « Early interventions in autism », in *The Effectiveness of Early Intervention*, M. Guralnick (ed.), Baltimore, P. H. Brookes.

DEMEESTERE G., VAN BUGGENHOUT B. (1992), « Comparative Evaluation Survey of Structures and Services in the E.C. for people with Autism », Bruxelles, *Autisme Europe*.

DEMYER M.K., HINGTGEN J.N., JACKSON R.K. 1981 « Infantile autism reviewed : A decade of research ». *Schizophrenia Bulletin*, 7, 388-451.

DiLavore P.C., Lord C., Rutter M. (1995), « The pre-linguistic autism diagnostic observation schedule ». *Journal of Autism and Developmental Disorders*, 25, 355-379.

Ehlers S., Gillberg C. (1993), « The epidemiology of Asperger's syndrome : A total population study », *Journal of Child Psychology and Psychiatry*, 34 (8), 1327-1350.

Erba H. W. (2000), « Early intervention programs for children with autism : Conceptual frameworks for implementation », *American Journal of Orthopsychiatry*, 70 (1), 82-94.

Escalona A., Field, T., Nadel, J., et Lunda. B. (2002), « Brief report : Imitation effects on children with autism », *Journal of Autism and Developmental Disorders,* 32, 2, 141-144.

Fenske E. C., Zalenski S., Krantz P. J. et McClannahan L. E. (1985), « Age at intervention and treatment outcome for autistic children in a comprehensive intervention program », *Analysis and Intervention in Developmental Disabilities*, 5, 49-58.

Field T. M. (1985), Neonatal perception of people : Maturational and individual differences. In T.M. Field & N.A. Fox (Eds) *Social Perception in infants*, Norwood, N.J. : Ablex, pp. 31-52.

Field T., Sanders C. et Nadel J. (2001), « Children with autism become more social after repeated imitation sessions », *Autism.*, 317-324.

Fombonne E. (1995), *Troubles sévères du développement : le bilan à l'adolescence*, Paris, Éditions du CTNERHI.

Fombonne E. (1999), « The epidemiology of autism : a review », *Psychological Medicine*, 29, 769-786.

Fombonne E., De Giacomo A. (2000), « La reconnaissance des signes d'autisme par les parents », *Devenir*, 12 (3), 49-64.

Fombonne E., Du Mazaubrun C. (1992), « Prevalence of infantile autism in four french regions », *Social Psychiatry and Psychiatric Epidemiology*, 27, 203-210.

Freeman B.J., Ritvo E.R., Guthrie D., Schroth P., Ball J. (1978), « The Behavior observation scale for autism : initial methodology data analysis, and preliminary findings on 89 Children ». *Journal of American Academy of Child Psychiatry*, 17, 576-588.

Frith U. (1989), *Autism : Explaining the Enigma*, Oxford, Basil Blakwell, trad. fr. 1992 *L'énigme de l'autisme*, Paris, Odile Jacob.

Frith U. (1991), « Translation and annotation of autistic psychopath in chilhood by Asperger H », in Frith U. (éd.), *Autism and Asperger Syndrome*, Cambridge, Cambridge University Press.

Fyffe C., Prior M. (1978), « Evidence for language recording in autistic, retarded and normal children : a re-examination ». *British Journal of Psychology*, 69, 393-402.

Ghaziuddin M., Butler E., Tsai L., Ghaziuddin N. (1994), « Is clumsiness a marker for Adperger Syndrome ? », *Journal of Intellectual Disability Research*, 38, 519-527.

GILLBERG C., (1992), « The Emanuel Miller Memorial Lecture 1991 : Autism and autistic-like conditions : Subclasses among disorders of empathy », *Journal of Child Psychology and Psychiatry and Allied Disciplines*, 33 (5), 813-842.

GILLBERG I. C. et GILLBERG C. (1989), « Asperger's Syndrome. Some epidemiological considerations », *Journal of Child Psychology and Psychiatry*, 30, 631-638.

GILLBERG C., EHLERS S., SCHAUMANN H., JAKOBSSON G., DAHLGREN S. O., LINDBLOM R., BAGENHOLM A., TJUUS T., BLIDNER E. (1990), « Autisme under age 3 years : a clinical study of 28 cases referred for autistic symptoms in infancy », *Journal of child Psychology and Psychiatry ans Allied Disciplines*, 31, 921-934.

GOLDFARB W. (1956), « Receptor preferences in schizophrenic children », *Archives of Neurology and Psychiatry*, 76, 643-653.

GOLDFARB W. (1961), *Childhood schizophrenia*, Cambridge, Harvard University Press.

GRAY C. (1992), *The social story book*, Arlington, Future Horizons Inc. Trad. Fr. 2002 *Livre des scénarios sociaux*, Mougins. AFD.

GRAY C. (1994), *The new social story book*, Arlington, Future Horizons Inc. Trad. Fr 2002 *Nouveau livre des scénarios sociaux*, Mougins. AFD.

GRESSENS P. (2001), « La plasticité du cerveau en développement », *Bulletin scientifique de l'ARAPI*, 7, 8.

GRIFFITHS R. (1970), *The abilities of young children*, London, Child Development Center.

GUÉRIN P. (2002), « Traitements médicamenteux de l'autisme », *Approche neuropsychologique des apprentissages chez l'enfant*, 70, 333-338.

GUIDETTI M., TOURRETTE, C. (1993), *Évaluation de la communication sociale précoce (ECSP)*, Paris, EAP.

GRANDIN T., SCARIANO M. M. (1986), *Emergence : Labeled Autistic*, Tunbridge Wells, Eng : Costello. Trad. fr. 1994, *Ma vie d'autiste*, Paris, Odile Jacob.

GRANDIN T. (1995), *Thinking in Pictures and Other Reports from my Life with Autism*, New York, Doubleday. Trad. fr. 1997 *Penser en images et autre témoignages de l'autisme*, Paris, Odile Jacob.

HAGBERG B. (1985), « Rett Syndrome : Swedish approach to analysis of prevalence and cause », *Brain and development*, 7 (3), 277-280.

HAPPE F. (1999), « Autism : cognitive deficit or cognitive style ? », *Trends in Cognitive Sciences*, vol. 3, n° 6.

HAPPE F., EHLERS S., FLETCHER P., FRITH U., JOHANSSON M., GILLBERG C., DOLAN R., FRACKOWIAK R., FRITH C. (1996), « "Theory of mind" in the brain. Evidence from a PET scan study of Asperger syndrome », *Neuro-Report*, 8, 197-201.

HARE D. J. (1997), « The use of cognitive-behavioural therapy with people with Asperger syndrome, a case study », *Autism*, vol. 1 (2) 215-225.

HAVIGHURST R.J. (1972), *Developmental tasks and education*. New York. David McKay Co. Inc.

HERAULT J., PERROT A., BARTHELEMY C., BÜCHLER M., CHERPI C., LEBOYER M., SAUVAGE D., LELORD G., MALLET J., MÜH J. P. (1993), « Possible association of c-Harvey-Ras-1 (HRAS-1) marker with autism », *Psychiatry Research.*, 46, 261-7.

HERTZIG M. E., SNOW M. E. SHERMAN M. (1989), « Affect and cognition in autism », *Journal of the American Academy of Child and Adolescent Psychiatry*, 28, 195-199.

HERMELIN B., O'CONNOR N. (1970), *Psychological Experiments with Autistic Children*, Oxford, Pergamon Press.

HERMELIN B., O'CONNOR N. (1971), « Spatial coding in normal, autistic and blind children ». *Perceptual and Motor Skills*, 33, 127-132

HOBSON R. P. (1993), *Autism and the Development of Mind*, Hove, Lawrence Erlbaum

HOBSON R. P., OUSTON. J., LEE A. (1988), « Emotion recognition in autism : co-ordinating faces and voices », *Psychological Medicine*, 18, 911-923.

HOWLIN P. (1998), « Psychological and educational treatments for autism », *Journal of Child Psychology and Psychiatry*, vol. 39 (3) 307-322.

HOWLIN P., RUTTER M. (1987), *Treatment of Autistic Children*, New York, John Wiley et Sons.

HUGUES C. (1996), « Control of action and thought : Normal development and dysfunction in autism. A research note », *Journal of Child Psychology and Psychiatry and Allied Disciplines*, 37, 229-236.

HUTT S. J., HUTT C., LEE D., OUNSTED C. (1964), Arousal and childhood autism, Nature, 204, 908-909

IMGSAC (International Molecular Genetic Study of Autism Consortium) (1998), « A full genome screen for autism with evidence for linkage to a region on chromosome 7q », *Human Molecular Genetics*, vol. 7, 571-578.

IMGSAC (International Molecular Genetic Study of Autism Consortium) (2001), « A genome wide screen for Autism : Strong evidence for linkage to chromosomes 2q, 7q and 16p », *American Journal of Human Genetics*, 69, 570-581

JAMAIN S., QUACH H., BETANCUR C., RASTAM M., COLINEAUX C., GILLBERG C., SÖDERSTRÖM H., GIROS B., LEBOYER M., GILLBERG C., BOURGERON T. et THE PARIS STUDY (2003), « Mutations of the X-linked genes encodage neuroligins NLGN3 and NLGN4 are associated with autism », *Nature Genetics*, 34 (1) : 27-29

JONES V., PRIOR M. (1985), « Motor imitation abilities and nerological signs in autistic children », *Journal of Autism and Developmental Disorders*, 26, 99-109.

JORDAN R. (1999), *Autistic Spectrum Disorders*, London, David Fulton Publishers.

JORDAN R., POWELL S. (1995), *Understanding and teaching children with autism*. Chichester John Wiley & Sons. Trad. fr., 1997, *Les enfants autistes, les comprendre, les intégrer à l'école*, Paris, Masson.

KAUFMAN A.S., KAUFMAN N.L. 1993 *Batterie pour l'examen psychologique de l'enfant*, Paris, éditions du Centre de psychologie appliquée.

KANNER L. (1943), « Autistic disturbances of affective contact », *Nervous Child*, 2, 217-250.

KASARI C. (2002), « Measures in intervention research with young children who have autism », *Journal of Autism and Developmental Disorders*, 32, 5, 463-478.

KERR A. M., STEPHENSON J. B. P. (1986), « A study of the natural history of Rett Syndrome in 23 girls », *American Journal of Medical Genetics*, 24, 77-83.

KLIN A., MAYES I. C., VOLKMAR F. R., COHEN D. J. (1995), « Multiplex developmental disorder », *Developmental and Behavioral Pediatrics*, 16, 3, S7-S11.

KOEGEL L. K., KOEGEL R. L., HARROWER J. K., CARTER C. M. (1999*a*), « Pivotal response intervention I : Overview of approach », *JASH*, 24 (3), 174-185.

KOEGEL L. K., KOEGEL R. L., SHOSHAN Y, MCNERNEY E. (1999*b*),

« Pivotal response intervention II : Preliminary long term outcome data », *JASH*, 24 (3), 186-198.

KOHEN-RAZ R., VOLKMAR F. R., COHEN D. J. (1992), « Postural control in children with autism », *Journal of Autism and Developmental Disorders*, 22, 419-432.

KOZINETZ C. A., SKENDER M. L., MACNAUGHTON N., ALMES M. J., SCHULTZ R. J., PERCY A. K., GLAZE D. G. (1993), « Epidemiology of Rett syndrome : A population-based registry », *Pediatrics*, 91, 445-450.

KRABE R., BOVIER P. (1994), « Norepinephric antidepressants may increase self injurious behavior in autistic syndromes ». *European Psychiatry,* 9, 301-311

LEBOYER M., BOUVARD M. P., LAUNAY J. M. (1993), « Une hypothèse opiacée dans l'autisme infantile ? Essais thérapeutiques avec la naltrexone », *Encéphale*, XIX, 95-102.

LE COUTEUR A., RUTTER M., LORD C., RIOS P., ROBERTSON S., HOLDGRAFER M., MC LENNAN J. D. (1989), « Autism Diagnostic Interview : A semi-structured interview for parents and caregivers of autistic persons », *Journal of Autism and Developmental Disorders*, 19, 363-387.

LELORD G., BARTHÉLÉMY C. (1989), *Échelle d'évaluation des comportements autistiques* (ECA), Issy-les-Moulineaux, EAP

LELORD G., Sauvage D. (1990), *L'Autisme de l'enfant*, Paris, Masson.

LESLIE A. M. (1987), « Pretence and representation. The origins of « theory of mind » », *Psychological Review*, 94, 412-426.

LEWIS M.H. 1996 « Brief Report : Psychopharmacology of Autism Spectrum Disorders ». *Journal Of Autism and Developmental Disorders*, vol. 26, n° 2.

LORD C. (1993), « The complexity of social behavior in autism », *in* S. Baron-Cohen, H. Tager-Flusberg, D. Cohen (éd.) *Understanding Other Minds : Perspectives from Autism* (p. 292-316), Oxford, England, Oxford University Press.

LORD C. (1995), « Follow-up of two years olds referred for possible autism », *Journal of Child Psychology and Psychiatry and Allied Disciplines*, 36, 1365-1382.

LORD C. (1996), « Treatment of a high-functioning adolescent with autism, A cognitive-behavioral approach », in M. A. Reinecke, F. M. Dattilio, A. Freeman (éd.), *Cognitive Therapy with Children and Adolescents*, New York, The Guilford Press, p. 394-404.

LORD C., HOPKINS J. M. (1986), « The social behavior of autistic children with younger and same-age nonhandicapped peers », *Journal of Autism and Developmental Disorders*, 16, 249-262.

LORD C., PICKLES A., DILAVORE P. C., SHULMAN C. (1996), « Longitudinal studies of young children referred for possible autism », paper presented at the biannual meeting of the International Society for Research in Child and Adolescent Psychopathology, Los Angeles.

LORD C., RISI S. (2000), « Diagnosis of autism spectrum disorders in young children », in Wetherby et Prizant, *Autism Spectrum Disorders, a Transactional Developmental Perspective*, Communication and Langage Intervention Series, Baltimore, London, Toronto, Sydney, Paul H. Brookes Publishing.

LORD C., RUTTER M., GOODE S., HEEMSBERGEN J., JORDAN H., MAWHOOD L., SCHOPLER E. (1989), « Autism Diagnostic Observation Schedule : A standardized observation of communicative and social behavior ». *Journal of Autism and Developmental Disorders*, 19, 185-212

LORD C., RUTTER, M., LE COUTEUR, A. (1994), « Autism diagnostic interview-revised : a revised version of a diagnostic interview for caregivers of individuals with possible pervasive developmental disorders », *Journal of Autism et Developmental Disorders* 24, 659-85.

LORD C., RUTTER M., DILAVORE P. C., RISI S. (2001), *Autism Diagnostic Observation Schedule-WPS Edition (ADOS-WPS)*, Los Angeles, Western Psychological Services.

LOVAAS O. (1987), « Behavioral treatment and normal educational and intellectual functioning in young autistic children », *Journal of Consulting and Clinical Psychology* 55, 3-9.

LOVAAS O. I., KOEGEL R. L., SIMMONS J. Q., LONG J. S. 1973 « Some generalization and follow-up measures on autistic children in behavior therapy ». *Jour-*

nal of Applied Behavior Analysis, 6, 131-166.

LOVAAS O. I., SCHREIBMAN L., KOEGEL R., REHM R. (1971), « Selective responding by autistic children to multiple sensory input », *Journal of Abnormal Psychology*, 77, 211-222.

LOVAAS O. I., SMITH T. (1988), « Intensive behavioral treatment for young autistic children », in B. B. Lahey et A. E. Kazdin (éd.), *Advances in Clinical Child Psychology, v*ol. II, New York, Plenum Press.

LOVELAND K., TUNALI-KOTOSKI B., PEARSON D., BRELSFORD K., ORTEGON J., CHEN R. (1994), « Imitation and expression of facial affect in autism ». *Development and Psychopathology*, 6, 433-444.

LUISELLI J. K., O'MALLEY CANNON B., ELLIS J. T., SISSON R. W. (2000), « Home-based behavioral intervention for young children with autism/pervasive developmental disorder », *Autism, The International Journal of Research and Practice*, 4 (4), 426-438.

MAGEROTTE G. (2001), « Modalités de l'intervention précoce en autisme », *Bulletin scientifique de l'ARAPI*, 7, 39-42.

MC DOUGLE C. J., PRICE L. H., VOLKMAR F.R. 1994 « Recent advances in the pharmacotherapy of autism and related conditions », *Child and Adolescent Psychiatric Clinics of North America*, 3, 71-89.

MACFARLAN J. A. (1975), « Olfaction in the development of social preference in the human neonate », in *Parent-infant interac-*

tion, ed by CIBA, Amsterdam, CIBA Foundation.

MCEACHLIN, J. J., SMITH, T. et LOVAAS, O. I. (1993), « Long term outcome for children with autism who received early intensive behavioral treatment », *American Journal on Mental Retardation*, 97, 359-372.

MC EVOY R. E., ROGERS S. J., PENNINGTON B. F. (1993), « Executive function and social communication deficits in young autistic children », *Journal of Child Psychology and Psychiatry and Allied Disciplines*, 34, 563-578.

MCGEE G. G., MORRIER M. J., DALY T. (1999), « An incidental teaching approach to early intervention for toddlers with autism », *JASH*, 24 (3), 133-146.

MELTZOFF A. N., MOORE M. K. (1977), « Imitation of facial and manual gestures by human neonates », *Science*, 198,75-78

MESIBOV G. B. (1995), *Autisme : le défi du programme TEACCH*, Paris, Pro Aid Autisme.

MESIBOV G. B. (1997), « Formal and informal measures on the effectiveness of the TEACCH programme », *Autism*, I, 1, 25-35.

MESIBOV G. B., SCHOPLER E., SCHAFFER B., LANDRUS R. (1988), *Individual assessment and treatment for autistic and developmental disabled children. Vol. IV* : adolescent and adult psychoeducational profile (AAPEP), Austin Texas : Pro-Ed., Trad. fr., 1997, Bruxelles, De Boeck Université.

MINSHEW N. J., GOLDSTEIN G., MUENS L. R., PAYTON J. B. (1992),

« Neuropsychological functioning in nonmentally retarded autistic individuals », *Journal of Clinical and Experimental Neuropsychology*, 14, 749-761.

MINSHEW N. J., GOLDSTEIN G., SIEGEL D. J. (1997), « Neuropsychologic functionong in autism : Profile of a complex information processin disorder », *Journal of the International Neuropsychological Society*, 3, 303-316.

MUNDY P., SIGMAN M. (1989), « The theoretical implication of joint attention deficits in autism », *Development and Psychopathology*, 6, 313-330.

MUNDY P., SIGMAN M., KASARI C. (1990), « A longitudinal study of joint attention and language development in autistic children », *Journal of Autism and Developmental Disorders*, 20, 115-128.

MUNDY P., SIGMAN M., KASARI C. (1994), « Joint attention, developmental level, and symptom presentation in young children with autism », *Development and Psychopathology*, 6, 115-128.

NADEL J. (1998), « L'imitation gestuelle : son déficit chez l'enfant autiste est-il démontré ? », *L'Encéphale*, 128-129.

NADEL J. (1999), « The evolving nature of imitation », in Nadel J., Butterworth G. (éd.), *Imitation in Infancy*, Cambridge, Cambridge University Press, p. 209-234.

NADEL J. (2002), « Imitation and imitation recognition : their functional role in preverbal infants and non verbal children with autism », in A. Meltzoff et W. Prinz (éd.),

The Imitative Mind, Cambridge, Cambridge University Press, p. 442-462.

NADEL J., GUÉRINI C., PEZÉ A., RIVET C. (1999), « The evolving nature of imitation as a format for communication », in P. Rochat (éd.), *Early Social Cognition, Understanding Others in the First Months of Life*, Hillsdale, NJ, Lawrence Erlbaum Associates Publishers.

NADEL J., ROGÉ B. (1998), « Autisme. L'option biologique 1/Recherche », *Psychologie française*, numéro spécial juin 1998.

NEWSOM C., RINCOVER A. (1989), « Autism », in E. J. Mash et R. A. Barkley (Eds) *Treatment of chilhood disorders* (286-346), New York, Guilford Press.

OHNISHI T., MATSUDA H., HASHIMOTO T., KUNIHIRO T., NISHIKAWA M., UEMA T., SASAKI M. (2000), « Abnormal regional blood flow in childhood autism », *Brain*, 123, 1838-1844.

OLLEY J. G., ROBBINS F. R., MORELLI-ROBBINS M. (1993), « Current Practices in early intervention for children with autism », in E. Schopler, M. E. van Bourgondien, M. Bristol (éd.), *Preschool Issues in Autism and Related Developmental Handicaps*, New York, Plenump, p. 223-245.

OMS (1993), *Classification internationale des troubles mentaux et des troubles du comportement*, Paris, Masson.

ORNITZ E. M., RITVO E. R. (1968), « Perceptual inconstancy in early infantile autism », *Archives of General Psychiatry*, 18, 76-98.

OSTERLING, J. et DAWSON, G. (1994), « Early recognition of children with autism : a study of first birthday home videotapes », *Journal of Autism and Developmental Disorders*, 24, 247-257.

OZONOFF S., MC EVOY R. E. (1994), « A longitudinal study of executive function and theory of mind development in autism », *Development and Psychopathology*, 6, 415-431.

OZONOFF S., PENNINGTON B. F., ROGERS S. J. (1991), « Executive function deficits in high-functioning autistic individuals : relationship to theory of mind », *Journal of Child Psychology and Psychiatry*, 32, 1081-1105.

PEETERS (1996), *Autisme, de la compréhension à l'intervention*, Paris, Dunod.

PERNER J., FRITH U., LESLIE A. M., LEEKMAM S. (1989), « Exploration of the autistic child's theory of mind : knowledge, belief, and communication », *Child Development*, 60, 689-700

PHILIPPE A., GUILLOUD-BATAILLE M., MARTINEZ M., BRICE A., FEINGOLD J., GILLBERG C., LEBOYER M. and INTERNATIONAL COLLABORATIVE AUTISM SIB-PAIR STUDY (1998), « A genome-wide search for autism susceptibility genes », *Am. J. Med. Genet.*, 81, A481.

POWELL S. D., JORDAN R. R. (1992), « Remediating the thinking of pupils with autism : Principles into practice », *Journal of Autism and*

Developmental Disorders, 22, 413-418.

PRIZANT B. M., DUCHAN J. (1981), « The functions of immediate echolalia in autistic children », *Journal of Speech and Hearing Research*, 46, 241-249.

PRIZANT B. M., RYDELL P. J. (1984), « An analysis of the functions of delayed echolalia in autistic children », *Journal of Speech and Hearing Research*, 27, 183-192.

RAPIN I. (1996), *Preschool Children with Inadequate Communication : Developmental Language Disorder*, London, MacKeith.

RAPIN I., ALLEN D. (1983), « Developmental Language Disorders : Nosologic considerations », in U. Kirk (Ed), *Neuropsychology of language, reading and spelling* (pp. 155-183), London Academic Press.

RICKS D. M. (1979), « Making sense of experience to make sensible sounds », in M. Bullowa (éd.), *Before speech*, Cambridge, Cambridge University Press.

RING H. A., BARON-COHEN S., WHEELWRIGHT S., WILLIAMS S.C., BRAMMER M., ANDREW C., BULLMORE E. T. (1999), « Cerebral correlates of preserved cognitive skills in autism : A functional MRI study of embedded figures task performance », *Brain*, 122, 1305-1315.

RISCH N., SPIKER D., LOTSPEICH L., NOURI N., HINDS D., HALLMAYER J. *et al.* (1999), « A genomic screen of autism : evidence of a multilocus etiology », *Am. J. Hum. Genet.*, 65, 493-507.

ROGÉ B. (1993), « Thérapie comportementale et autisme : de l'approche expérimentale aux apprentissages fonctionnels », *Journal de thérapie comportementale et cognitive*, 3, 36-39.

ROGÉ B. (1999), « Autisme et autres troubles graves du développement », *in* Habimana E., Tousignant M., Ethier L. S. (éd.) *Manuel de psychiatrie de l'enfant et de l'adolescent. Approche intégrative*, Montréal, Gaëtan Morin Éditeur, 282-315.

ROGÉ B. (2000), « Meeting the needs of autistic individuals : A regional network model », *International Journal of MentalHealth*, vol. 29, n° 1, printemps 2000, 35-49.

ROGÉ B. (2001*a*), « Diagnostic précoce dans l'autisme », *Bulletin scientifique de l'ARAPI*, 7, 9-12.

ROGÉ B. (2001*b*), « Le diagnostic précoce de l'autisme : données actuelles », *Enfance*, 1, 21-30.

ROGÉ B., ARTI-VARTAYAN E. (1998), « TEACCH, histoire et actualité d'un programme d'état en faveur des personnes autistes », *Psychologie française*, n° 43-3, 257-271.

ROGÉ B., NADEL J. (1998), *Autisme, l'option biologique, 2, « Prises en charge »*, n° spécial de la revue *Psychologie française*, sept. 1998.

ROGÉ B., PETIT F., VERA L. (1997), « Les thérapies comportementales et cognitives chez les enfants et les adolescents », *Journal de thérapie comportementale et cognitive*, vol. 7, n° 1, 27-32.

ROGERS S. J. (1996), « Brief report : Early intervention in autism », *Journal of Autism and Developmental Disorders*, 26, n° 2, 243-246.

ROGERS, S. J. (1998), « Empirically supported comprehensive treatments for young children with autism », *Journal of Clinical Child Psychology*, 27, 168-179.

ROGERS S. J., BENNETTO L. (2000), « Intersubjectivity in autism, the role of imitation and executive function », *in* Wetherby et Prizant (éd.), *Autism Spectrum Disorders, a Transactional, Developmental Perspective*, Brookes.

ROGERS S. J. BENETTO L. (2002), « Le fonctionnement moteur dans le cas de l'autisme », *Enfance*, 1, 63-73.

ROGERS S. J., BENNETO L., MC-EVOY R., PENNINGTON B. F. (1996), « Imitation and pantomime in high functioning adolescents with autism spectrum disorders », *Child Development*, 67, 2060-2073.

ROGERS, S. J., ET DILALLA, D. L. (1990), « Age of symptom onset in young children with pervasive developmental disorders », *Journal of the American Academy of Child and Adolescent Psychiatry*, 29, 863-872.

ROGERS, S. J., ET DILALLA, D. (1991), « A comparative study of a developmentally based preschool curriculum on young children with autism and young children with other disorders of behavior and development », *Topics in Early Childhood Special Education*, 11, 29-48.

ROGERS S., OZONOFF S., MASLIN-COLE C. (1993), « Developmental aspects of attachment behavior in young children with pervasive Developmental Disorders », *Journal of Child and Adolescent Psychiatry*, 32, 1274-1282.

ROGERS S. J., PENNINGTON B. F. (1991), « A theoretical approach to the deficits in infantile autism », *Development and Psychopathology*, 3, 137-162.

ROSEMAN B., SCHNEIDER E., CRIMMINS D., BOSTWICK G. H., VISINTAINER P. (2001), « What to measure in autism drug trials », *Journal of Autism and Developmental Disorders*, 31, 3, 361-362.

RUMSEY J. M., ANDREASEN N. C., RAPOPORT J. L. (1986), « Thought, language, communication and affective flattening in autistic adults », *Archives of General Psychiatry*, 43, 771-777.

RUMSEY J. M., HAMBURGER S. D. (1988), « Neuropsychological findingsin highfunctioning men with infantile autism, residual state », *Journal of Clinical and Experimental Neuropsychology*, 10, 201-221.

RUTTER M. (1985), « The treatment of autistic children ». *Journal of child Psychology and Psychiatry*, 26, 193-214

RUTTER M., BAILEY A., BOLTON P., LE COUTEUR A. (1994), « Autism and known medical conditions : Myth and substance », *Journal of Child Psychology and Psychiatry*, 35, 311-322.

SAUVAGE D. (1988), *Autisme du nourrisson et du jeune enfant*, Paris, Masson.

SCHOPLER E. (1965), « Early infantile autism and receptor processes », *Archives of General Psychiatry*, 13, 327-335.

SCHOPLER E. (1966), « Visual *versus* tactile receptor preferences in normal and schizophrenic children ». *Journal of abnormal Social Psychology*, 71, 108-114.

SCHOPLER E. (1987), « Specific and nonspecific factors in the effectiveness of a treatment system », in *American Psychologist*, vol. 42, n° 4, 376-383.

SCHOPLER E. (1997*a*), « Naissance du programme TEACCH. Principes, mise en pratique et évaluation », *in* R. Mises et Ph. Grand (éd.), *Parents et professionnels devant l'autisme*, Paris, CTNE-RHI, 191-207.

SCHOPLER E. (1997*b*), « Implementation of TEACCH philosophy », *in* D. J. Cohen et F. R. Volkmar (éd.), *Handbook of Autism and Pervasive Developmental Disorders,* New York, Wiley.

SCHOPLER E., BREHM S., KINSBOURNE M., REICHLER R. J. (1971), « The effects of treatment structure on development in autistic children », *Archives of General Psychiatry*, 24, 415-421.

SCHOPLER E., LANSING M., WATERS L. (1983), *Teaching Activities for Autistic Children*, Vol. 3, Austin, TX, Pro-Ed, Trad. Fr *Activités d'enseignement pour enfants autistes*. Paris Masson 2001.

SCHOPLER E., OLLEY J. G. (1982), « Comprehensive educational services for autistic children : The TEACCH model », *in* C. R. Reynolds et T. R. Gutkin (éd.), *The Handbook of School Psychology*, New York, Wiley, 629-643.

SCHOPLER E., REICHLER R. J. (1979), *Individualized Assessment and Treatment for Autistic and Deve-loppementally Disabled Children*, vol. I : *Psychoeducational profile* (2ᵉ éd.), Austin, TX, Pro-Ed, trad. fr. *Profil Psycho-éducatif (PEP-R)*, Bruxelles, De Boeck Université 1994.

SCHOPLER E., REICHLER R. J., DE-VELLIS R. F., DALY K. (1980), « Toward objective classification of childhood autism : childhood autism rating scale », *Journal of Autism and Developmental Disorders*, 10, (1), 91-103.

SCHOPLER E., REICHLER R. J., ROCHEN-RENNER B. (1988), *The Childhood Autism Rating Scale (CARS) Western Psychological Services*, adaptation française, 1989, *Échelle d'évaluation de l'autisme infan-tile (CARS)*, Issy-les-Moulineaux, Éd. d'Applications psychotechni-ques.

SCHOPLER E., ROGÉ B. (1998), « TEACCH et sa transposition en France », *Psychologie française*, n° 43-3, 209-216.

SCHULTZ R. T., GAUTHIER I., KLIN A., FULBRIGHT R. K., ANDERSON A. W., VOLKMAR F., SKUDLARSKI P., LA-CADIE C., COHEN D., GORE J. C. (2000), « Abnormal ventral tem-poral cortical activity during face discrimination among individuals with autism and Asperger syn-drome », *Arch. Gen. Psychiatry*, 57 (4), 331-340.

SEIBERT J. M., HOGAN A. E., MUNDY P. (1982), « Assessing interactional competencies : the early social communication scales », *Infant Mental Health Journal*, 3, 244-259.

SIGMAN M., MUNDY P. (1989), « So-cial attachments in autistic chil-dren », *Journal of the American Academy of Child and Adolescent Psychiatry*, 28, 74-81.

SIGMAN M., UNGERER J. A. (1984), « Attachment behaviors in autistic children », *Journal of Autism and Developmental Disorders*, 14, 231-243.

SMITH I., BRYSON S. (1998), « Gestu-res imitation in autism : Nonsym-bolic postures and sequences », *Cognitive Neuropsychology*, 15 (6), 747-770.

SNOW M. E., HERTZIG M. E., SHA-PIRO T. (1987), « Expression of emotion in young autistic chil-dren », *Journal of the American Academy of Child and Adolescent Psychiatry*, 26, 836-838.

SPARROW S., BALLA D. CICCHETTI D. (1984a), *Vineland Adaptative Be-havior Scales* (Survey ed.) Circle Pines, MN : American Guidance Service

SPARROW S., BALLA D. CICCHETTI D. (1984b), *Vineland Adaptative Be-havior Scales* (Expanded ed.) Cir-cle Pines, MN : American Gui-dance Service

SPENCE S. H. (1994), « Practitioner review : Cognitive therapy with children and adolescents : From theory to practice », *Journal of Child Psychology and Psychiatry*, 35, 1191-1228.

STONE W. L., COONROD E. E., OUS-LEY O. Y. (2000), « Brief report : screening tool for autism in two-year-olds (STAT) : Development and preliminary data », *Journal of Autism and Developmental Disorders*, 30, 6, 607-612.

STRAIN P. S., HOYSON M., JAMIESON B. J. (1985), « Normally developing preschoolers as intervention agents for autistic-like children. Effects on class deport and social interactions », *Journal of the Division for Early Childhood*, 9, 105-115.

SZATMARI P. TUFF L., FINLAYSON M. A. J., BARTOLUCCI G. (1990), « Asperger's syndrome and autism : Neurocognitive aspects », *Journal of the American Academy of Child and Adolescent Psychiatry*, 29, 130-136.

TANOUE Y., ODA S., ASANO F., KAWASHIMA K. (1988), « Epidemiology of infantile autism in Southern Ibaraki, Japan : differences in prevalence in birth cohorts », *Journal of Autism and Developmental Disorders*, 2, 155-166

TEITELBAUM P., TEITELBAUM O., NYE J., FRYMAN J., MAURER R. G. (1998), « Movement analysis in infancy may be useful for early diagnosis of autism », *Proceedings of the National Academy of Sciences*, 95, 13982-13987.

TOMASELLO M. (1995), « Joint attention as social cognition ». *In* C. Moore & P. Dunham (Eds), *Joint attention : its origins and role in development*, Hillsdale, NJ : Erlbaum, 103-130.

TREFFERT D.A. (1970), « Epidemiology of infantile autism », *Archives of General Psychiatry*, 22, 431-438

TSAI L.Y. (1987), « Pre-, peri- and neonatal factors in autism », in E. Schopler et G. B. Mesibov (éd.), *Neurobiological Issues in Autism*, New York/London, Plenum Press.

UZGIRIS J. C., HUNT J. M. V. (1975), « Infant Psychological development scale », in *Assessment in infancy*. Urbana, University of Illinois Press.

VOLKMAR F. R., COHEN D. J. (1989), « Disintegrative disorder of « late onset » autism », *Journal of Child Psychology and Psychiatry and Allied Disciplines*, 30 (5), 717-724.

VOLKMAR F. R., KLIN A., SIEGEL B., SZATMARI P., LORD C., CAMPBELL M., FREEMAN B. J., CICCHETTI D. V., RUTTER M., KLINE W., BUITELAAR J., HATTAB Y., FOMBONNE E., FUENTES J., WERRY J., STONE W., KERBESHIAN J., HOSHINO Y., BERGMAN J., LOVELAND K., SZYMANSKI L., TOWBIN K. (1994), « Field trial for autistic disorder in DSM-IV », *American Journal of Psychiatry*, 151, 1361-1367.

WECHSLER D. (1995), *Échelle d'intelligence de Wechsler pour la période préscolaire et primaire*. Paris, Centre de psychologie appliquée.

WECHSLER D. (1996), *Échelle d'intelligence de Wechsler pour enfants*, 3e édition. Paris, Centre de psychologie appliquée.

WEEKS S. J., HOBSON R. P. (1987), « The salience of facial expression for autistic children », *Journal of Child Psychology and Psychiatry*, 28, 137-152.

WELLMAN H. M. (1992), *The Child's Theory of Mind*, Cambridge

(Massachusetts) & London, The MIT Press.

WING L. (1981), « Asperger's syndrom : A clinical account », *Psychological Medicine*, 11, 115-129.

WING L. (1996), *The Autistic Spectrum : A Guide for Parents and Professionals*, London, Constable.

WING L., GOULD J. (1979), « Severe impaiments of social interaction and associated abnormalities in children : Epidemiology and classification », *Journal of Autism and Developmental Disorders*, 9, 11-29.

WOLFF S. (1995), *Loners, The life Path of Unusual Children*, London and New York, Routledge.

WORLD HEALTH ORGANIZATION (WHO) (1992), *The ICD-10 Classification of Mental and Behavioral Disorders : Clinical descriptors and diagnostic guidelines*. Geneva : Author.

WORLD HEALTH ORGANIZATION (WHO) (1993), *The ICD-10 Classification of Mental and Behavioral Disorders : Diagnostic criteria for research*. Geneva : Author.

ZILBOVICIUS M., BODDAERT N., BELIN P., POLINE J.-B., REMY P., MANGIN J.-F., THIVARD L., BARTHÉLEMY C., SAMSON Y. (2000), « Temporal lobe dysfunction in childhood autism : A PET study », *American Journal of Psychiatry*, 157, 1988-1993.

INDEX

047019 – (II) – (1,2) – OSB 100° – TYP – API

Achevé d'imprimer sur les presses de la SNEL S.A.
rue Saint-Vincent 12 – B-4020 Liège
tél. 32(0)4 344 65 60 - fax 32(0)4 341 48 41
janvier 2004 – 30727

Dépôt légal : janvier 2004 (suite du 1er tirage) • Dépôt légal de la 1re édition : septembre 2003
Imprimé en Belgique